하루 한 장 60일 집중 완성

교과도형

초3

C1

선과 각

에듀히어로

Edu HERO

"진짜 히어로는 우리 아이들입니다!"

에듀히어로는
우리 아이들이 밝고 건강한 내일을 꿈꿀 수 있도록
긍정적이고 효과적인 교육 서비스를 제공하는 것을
최우선 목표로 하고 있습니다.

그 존재만으로도 든든한 히어로처럼 아이들의 곁에서 힘이 되어주고,
나아가 아이들 각자가 스스로의 인생 속 히어로가 될 수 있도록

우리는 진심과 열정을 다해 아이들과 함께 할 것을 약속 드립니다.

네이버 카페

교재 상세 소개와 진단 테스트
및 유용하게 풀 수 있는
학습 자료를 다운로드 해 보세요.

인스타그램

에듀히어로 인스타그램을
팔로우하시면 다양한 이벤트와
신간 소식을 빠르게 만나보실
수 있습니다.

카카오톡 채널

자녀 수학 공부 상담 및
자유로운 질문을 남겨 주세요.
함께 고민하고
답변해 드리겠습니다.

히어로컨텐츠 HEROCONTENTS

발행일: 2025년 2월 **발행인**: 김혜원

기획개발: 두줄수학연구소

디자인: 4BD STUDIO **삽화**: 1000DAY

발행처: 히어로컨텐츠

주소: 경기도 과천시 관문대로92, 101동 1509호(중앙동, 힐스테이트과천중앙)

전화: 02-862-2220 **팩스**: 02-862-2227

지원카페: cafe.naver.com/eduherocafe **인스타그램**: @edu__hero **카카오톡**: 에듀히어로

하루 한 장 60일 집중 완성 교과도형은

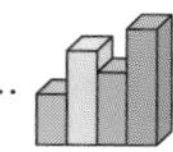

달라진 교과서와 학교 수업 진도에 맞추어 학습자가 체계적으로 도형을 학습할 수 있도록 안내합니다.

이전의 도형 학습이 도형의 정의와 성질을 외우고, 도형의 측정결과를 계산하는 '결과' 중심의 학습이었다면 지금의 도형 학습은 공간에 대한 이해와 해석(공간감각)을 바탕으로 모양을 인식하고 변화를 유추하고 다양한 방법으로 도형을 측정하고 그 결과를 표현하는 '과정' 중심의 학습입니다.
교과도형은 수학교육의 변화와 핵심을 이해하고 올바른 방향을 제시해 주는 든든한 길잡이가 될 것입니다.

하루 한 장 60일 집중 완성 교과도형은

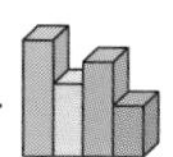

① 공간감각 ② 도형표현 ③ 도형측정을 중심으로 교과서에서 다루는 모든 도형을 체계적으로 학습합니다.

공간감각

도형을 효과적으로 학습하기 위해서는 공간을 이해하고 해석하는 능력, 즉 '공간감각'이 필요합니다.

공간감각은 경험과 상상력을 바탕으로 머릿속에서 도형을 조작하고 결과를 유추하는 능력입니다. 공간감각은 단시간에 길러지지 않으므로 어릴 때부터 꾸준하게 학습하고 구체적인 경험을 쌓는 것이 중요합니다.
'교과도형'의 각 권 마지막에 있는 '도형플러스'는 각 권의 학습목표와 연계하여 공간감각을 한 단계 더 높여줄 수 있는 내용으로 구성하였습니다.

도형표현

공간에 존재하는 도형은 표현되었을 때 더 큰 의미를 가집니다.

- 삼각형을 찾는 것에서 그치지 않고 다양한 삼각형을 직접 그려 보고 왜 삼각형인지 설명하는 것
- 쌓기나무로 만든 모양을 위치와 방향을 이용하여 설명하는 것
- 도형을 여러 가지 기준과 특징에 따라 분류하고 왜 그렇게 분류했는지 설명하는 것
- 도형을 위·앞·옆에서 바라보고 그 모습을 그림으로 표현하는 것 등이 모두 '도형표현'입니다.

'교과도형'은 도형과 관련한 작은 그림에서부터 서술형 문장제까지 도형을 표현하는 다양한 방법을 효과적으로 학습합니다.

도형측정

측정은 도형과 아주 밀접한 관계가 있으므로 도형을 학습하면서 반드시 함께 다루어야 하는 영역입니다.

길이, 각도, 둘레, 넓이, 부피 등 흔히 '도형' 영역이라 생각하는 것이 사실 초등 교육과정에서는 '측정' 영역에 해당합니다. 사각형을 학습하는 것은 도형이지만 사각형의 둘레와 넓이를 구하는 것은 측정입니다. 각의 종류를 학습하는 것은 도형이지만 각도를 재는 것은 측정입니다. 이처럼 길이, 각도, 둘레, 넓이, 부피 등은 결국 도형을 측정하는 것입니다.
'교과도형'은 교과서의 모든 '도형' 영역을 다루었습니다. 여기에 도형과 반드시 연계하여 학습해야 하는 '측정' 영역을 추가로 다루어 더욱 완성된 도형 학습을 할 수 있도록 도와줍니다.

하루 한 장 60일 집중 완성 교과도형은

7세부터 6학년까지 총 7단계 21권(단계별 3권)으로 구성되어 있으며 각 권은 매일 한 장씩 4주간 체계적으로 학습할 수 있습니다.

1권, 20일

2권, 20일

3권, 20일

대 상	단 계	구 성
7세 ~ 1학년	P	P1, P2, P3
1학년	A	A1, A2, A3
2학년	B	B1, B2, B3
3학년	C	C1, C2, C3
4학년	D	D1, D2, D3
5학년	E	E1, E2, E3
6학년	F	F1, F2, F3

교과도형의 각 단계는 1, 2, 3권을 차례대로 학습합니다.

교과도형, 한 권이면 충분합니다 

교과도형은 공간감각, 도형표현, 도형측정을 중심으로 교과서에서 다루는 모든 도형을 학습하고,
공간감각 향상을 위한 '도형플러스'와 학습 결과를 확인하는 '형성평가'를 제공합니다.

1 주차별 학습

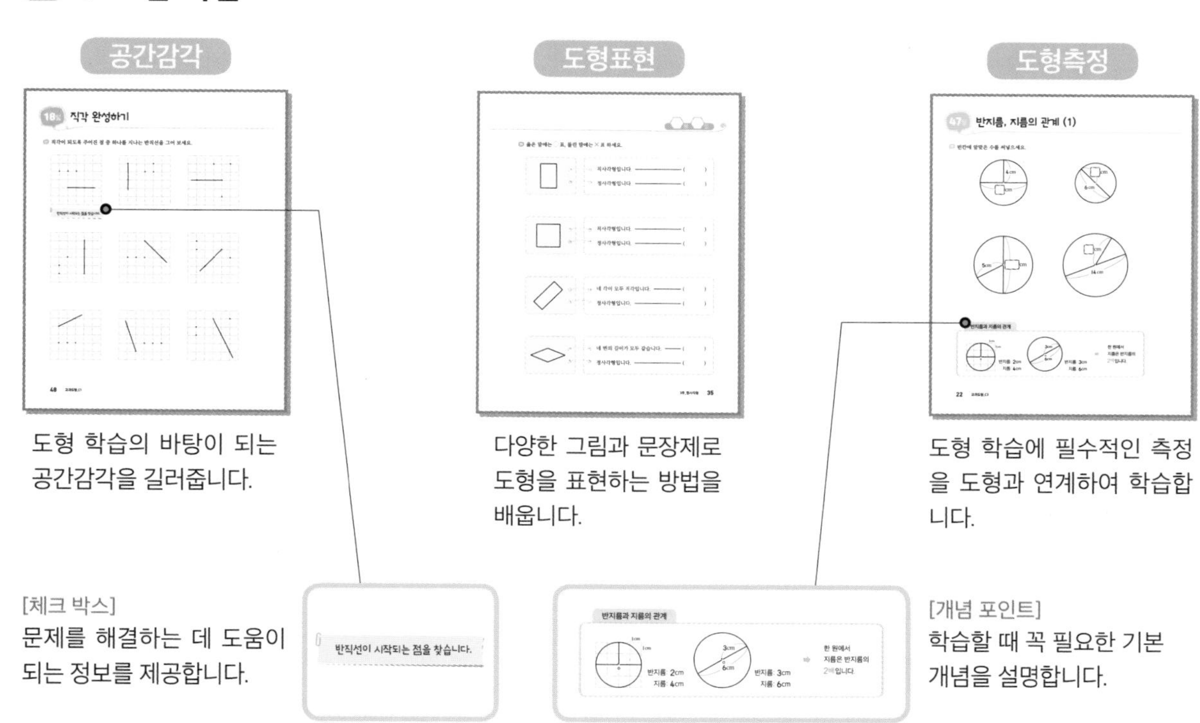

공간감각 도형 학습의 바탕이 되는 공간감각을 길러줍니다.

도형표현 다양한 그림과 문장제로 도형을 표현하는 방법을 배웁니다.

도형측정 도형 학습에 필수적인 측정을 도형과 연계하여 학습합니다.

[체크 박스]
문제를 해결하는 데 도움이 되는 정보를 제공합니다.

[개념 포인트]
학습할 때 꼭 필요한 기본 개념을 설명합니다.

2 도형플러스

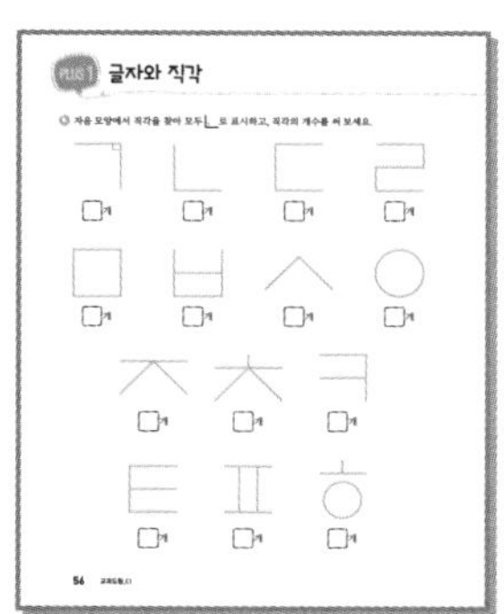

각 권의 학습 주제와 연계하여 공간감각을 더욱 향상시킵니다.

3 형성평가

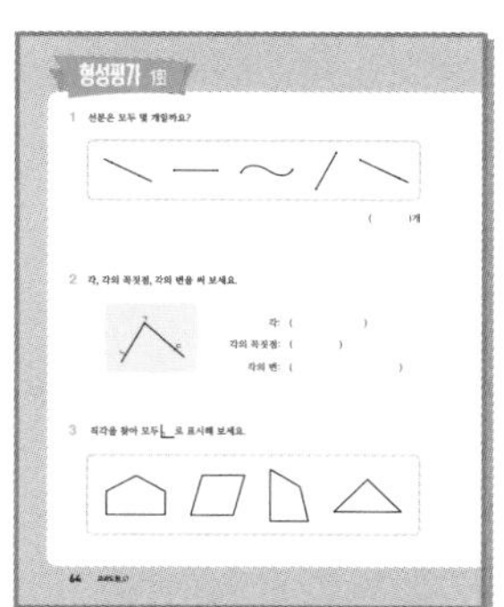

학습한 내용을 다시 한 번 복습하고 정리합니다.

이 책의 차례

1주차
01~05일

선의 종류

01일 선분

1 선분을 찾아 모두 ◯표 하세요.

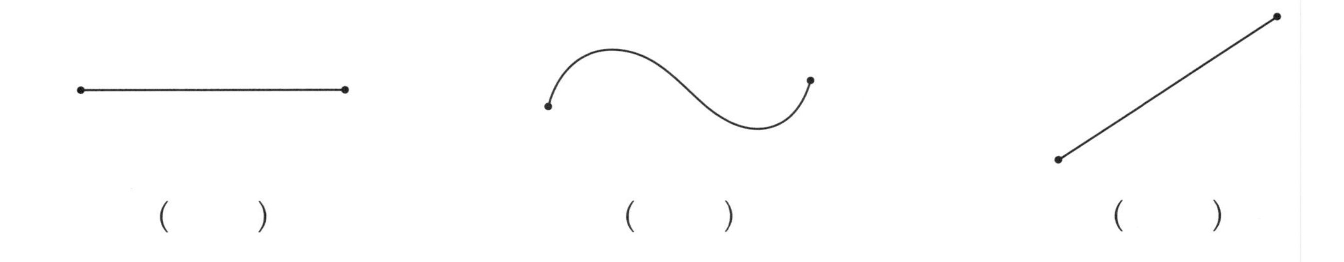

( ) ( ) ( )

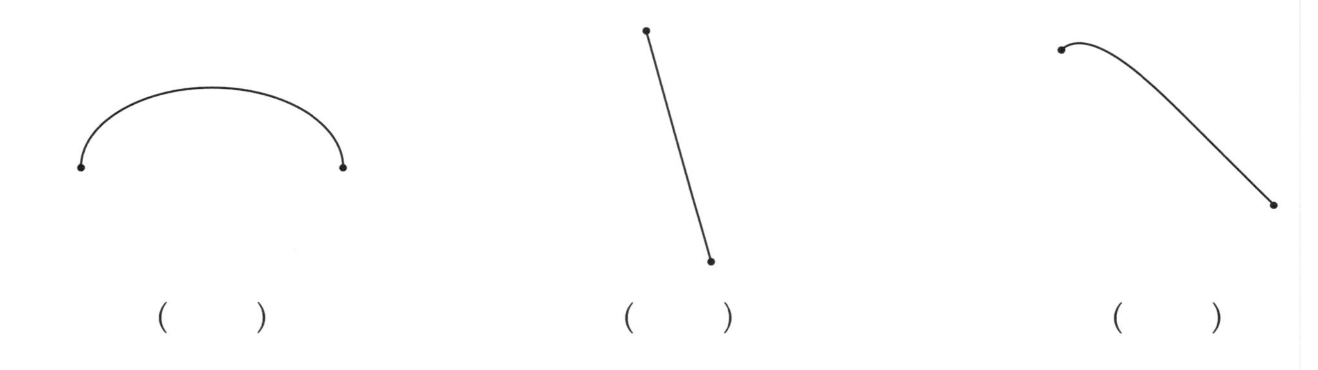

( ) ( ) ( )

선분

두 점을 곧게 이은 선을 선분이라고 합니다.

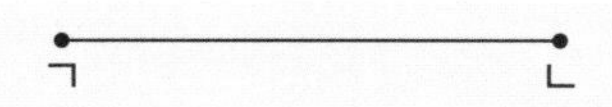

점 ㄱ과 점 ㄴ을 이은 선분을 선분 ㄱㄴ 또는 선분 ㄴㄱ이라고 합니다.

선분은 구부러지지 않은 **곧은 선**입니다.
선분은 **끝이 있는 선**으로 양쪽에는 끝점이 있습니다.

도형의 이름을 써 보세요.

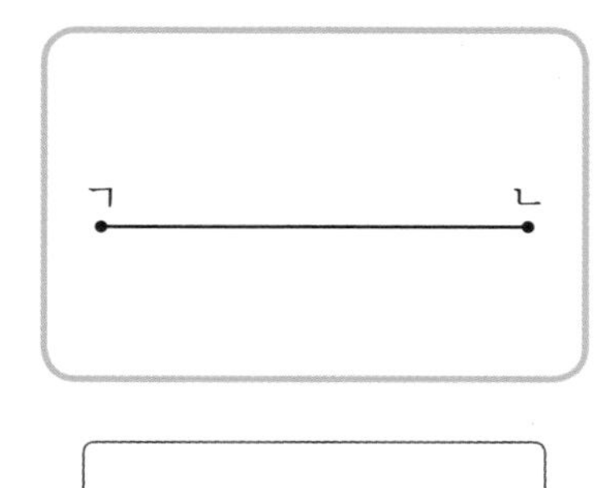

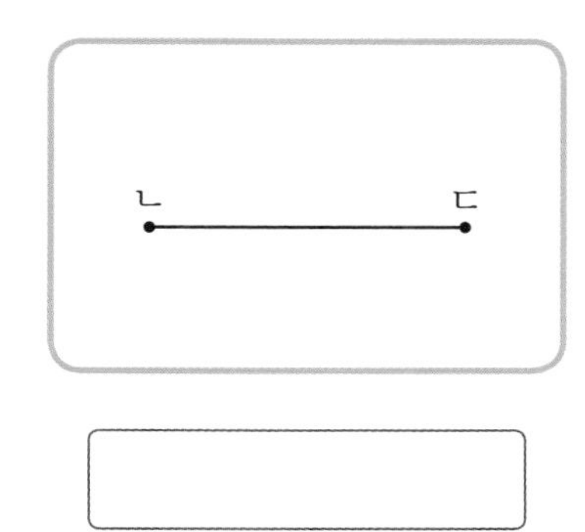

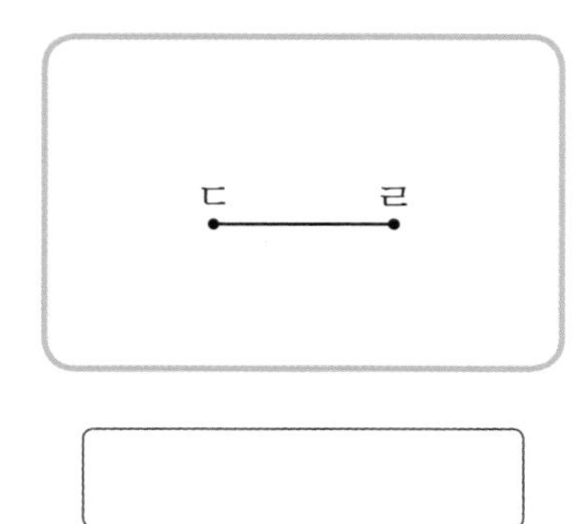

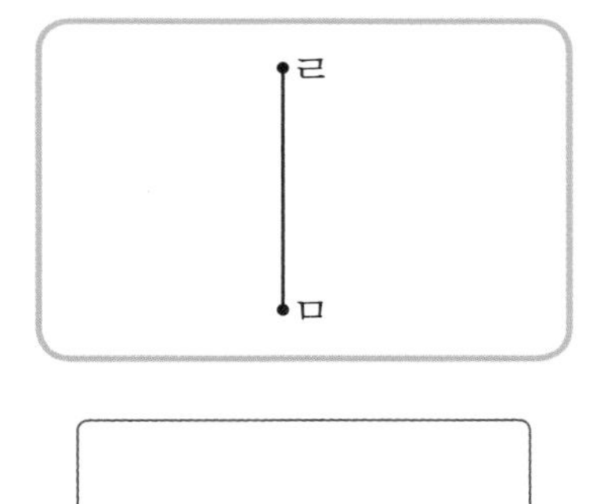

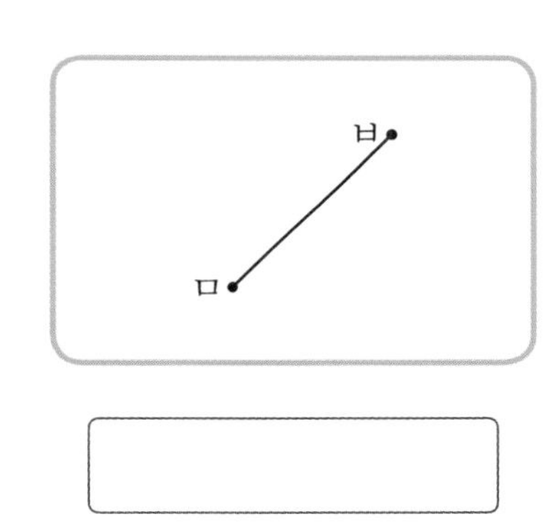

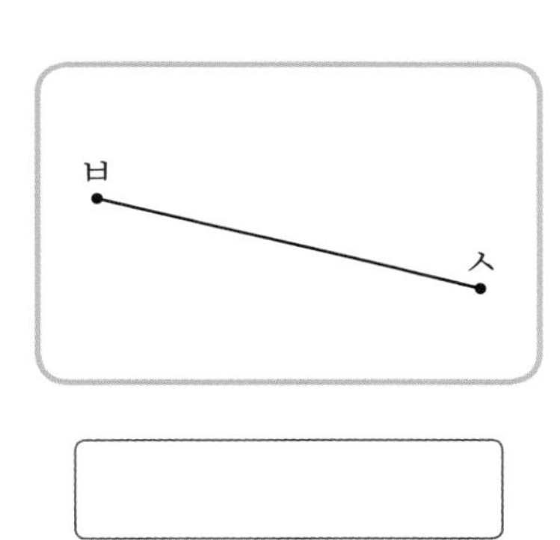

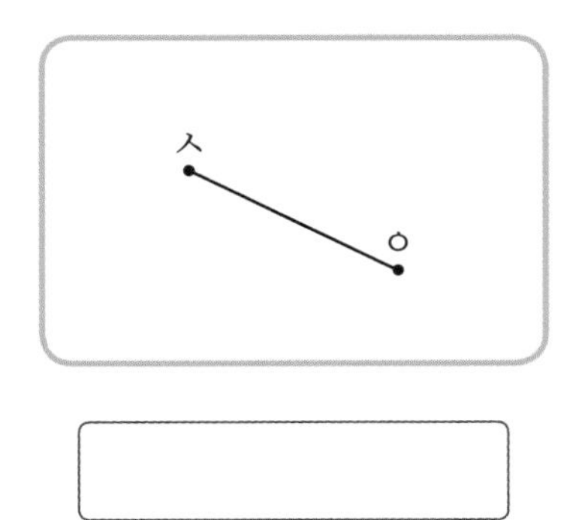

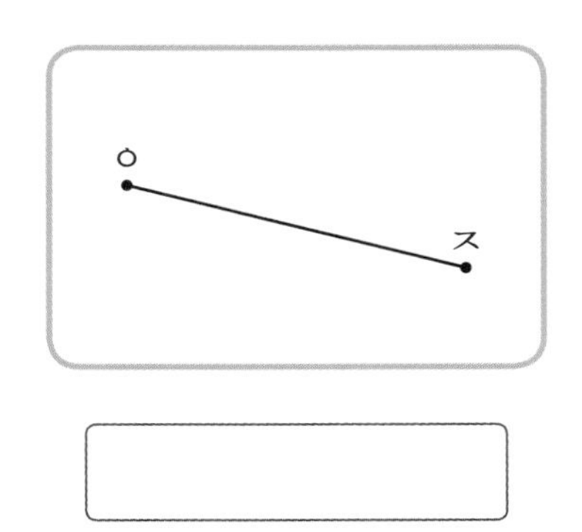

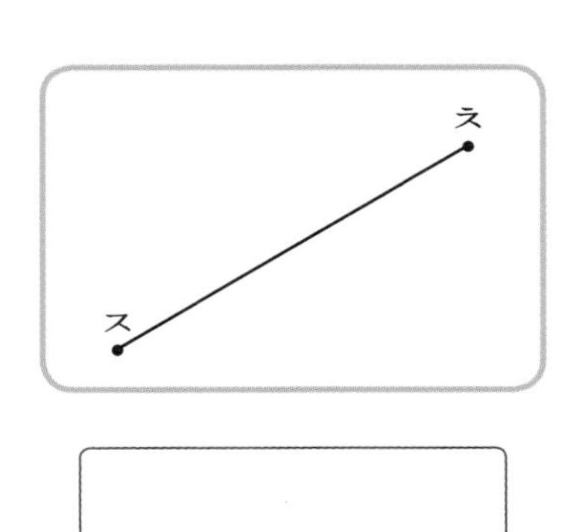

02일 반직선

1 반직선을 찾아 모두 ◯표 하세요.

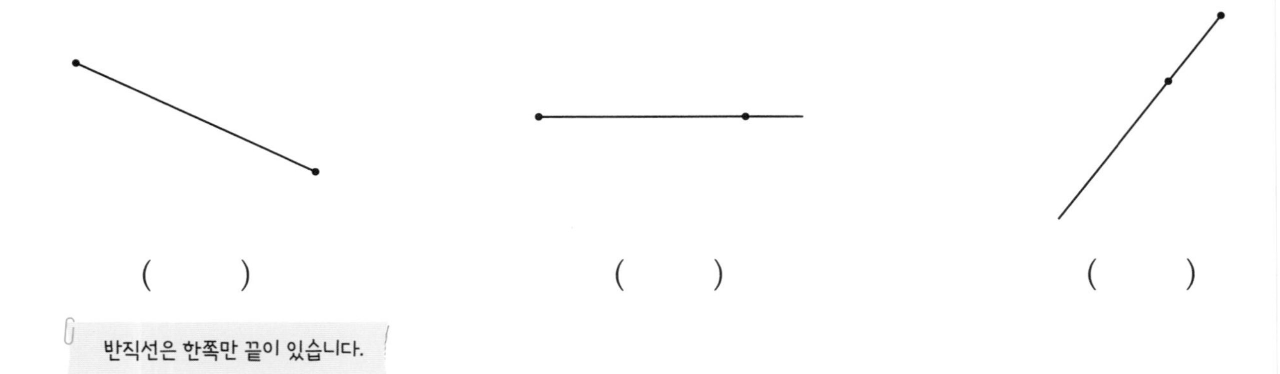

(　　)　　　(　　)　　　(　　)

반직선은 한쪽만 끝이 있습니다.

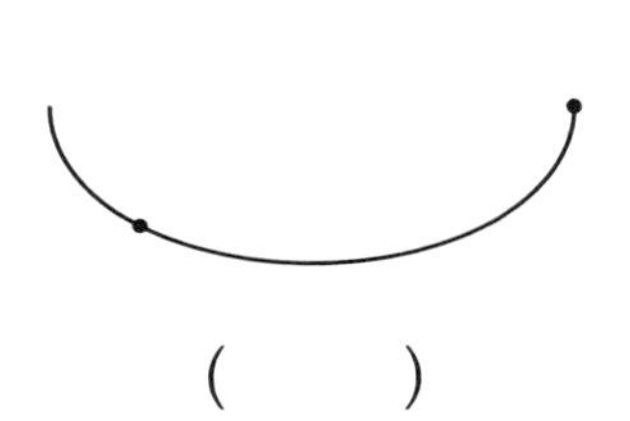

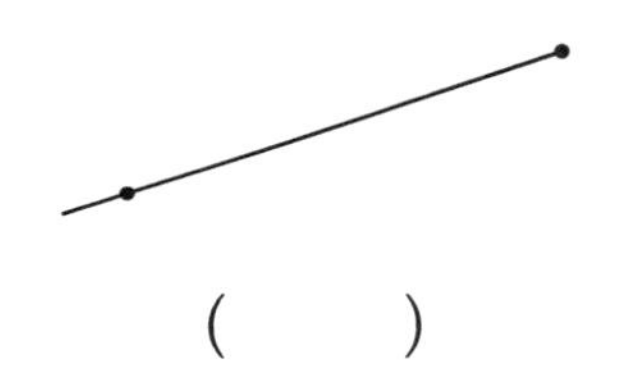

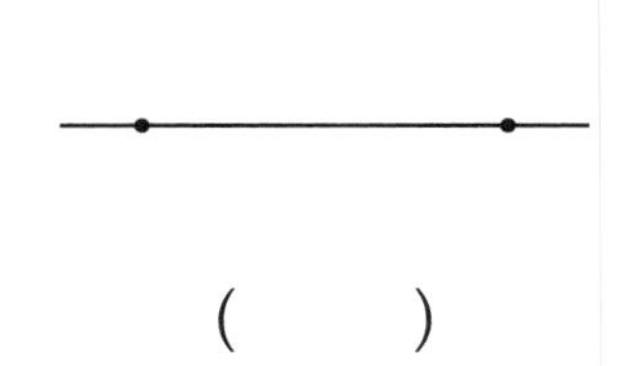

(　　)　　　(　　)　　　(　　)

반직선

한 점에서 시작하여 한쪽으로 끝없이 늘인 **곧은 선**을 반직선이라고 합니다.

점 ㄱ에서 시작하여 점 ㄴ을 지나는 반직선을 반직선 ㄱㄴ이라고 합니다.

점 ㄴ에서 시작하여 점 ㄱ을 지나는 반직선을 반직선 ㄴㄱ이라고 합니다.

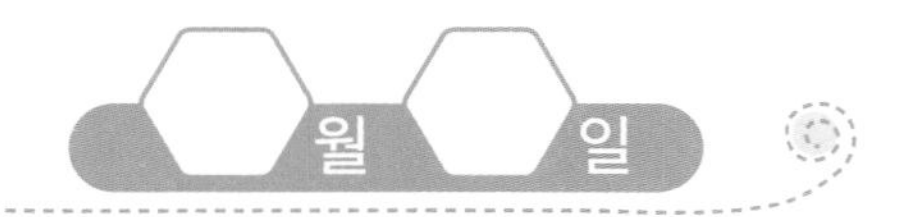

알맞은 반직선을 찾아 ◯표 하세요.

반직선 ㄱㄴ

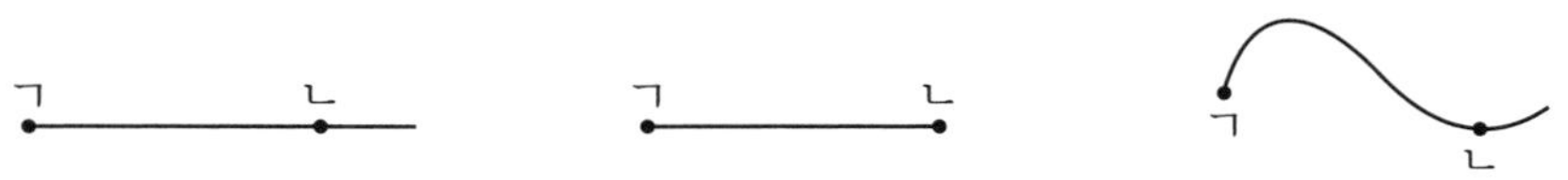

ㄱ ㄴ ( ) ㄱ ㄴ ( ) ㄱ ㄴ ( )

반직선 ㄹㄷ

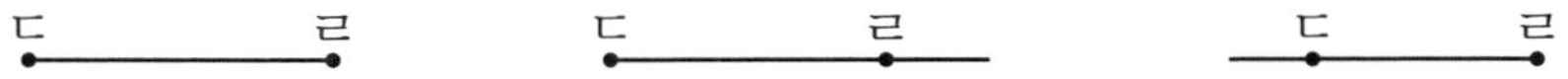

ㄷ ㄹ ( ) ㄷ ㄹ ( ) ㄷ ㄹ ( )

반직선 ㅁㅂ

ㅁ ㅂ ( ) ㅁ ㅂ ( ) ㅁ ㅂ ( )

반직선 ㅇㅅ

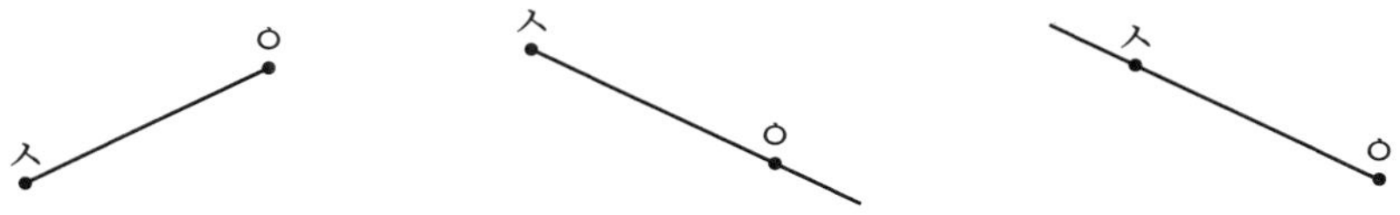

ㅅ ㅇ ( ) ㅅ ㅇ ( ) ㅅ ㅇ ( )

03일 직선

1. 직선을 찾아 모두 ◯표 하세요.

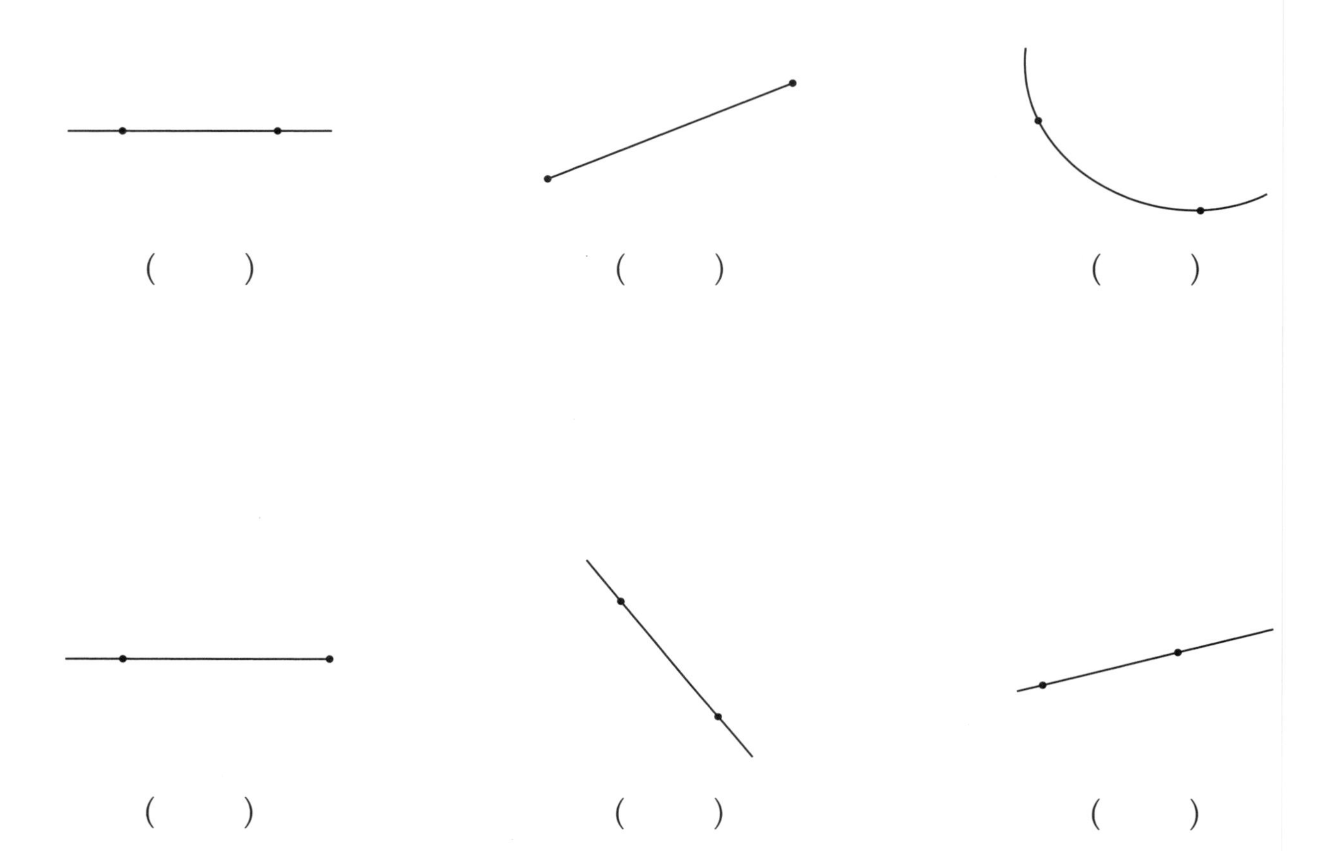

직선

선분을 양쪽으로 끝없이 늘인 **곧은 선**을 직선이라고 합니다.

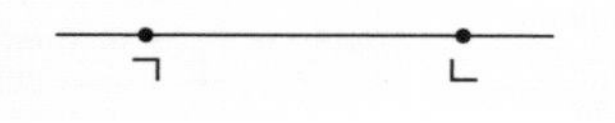

점 ㄱ과 점 ㄴ을 지나는 직선을 직선 ㄱㄴ 또는 직선 ㄴㄱ이라고 합니다.

직선은 양쪽 방향으로 늘어나는 **양쪽 끝이 없는 선**입니다.
선분과 반직선은 직선의 일부분입니다.

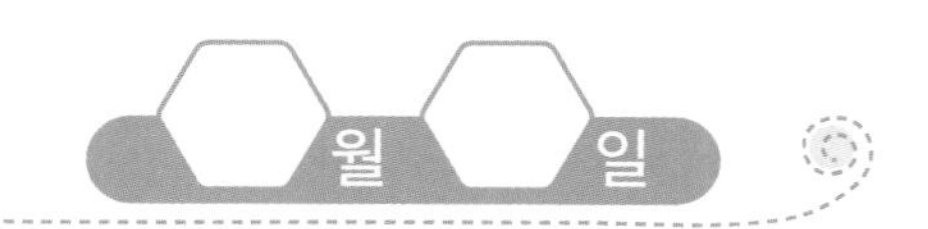

알맞게 이어 보세요.

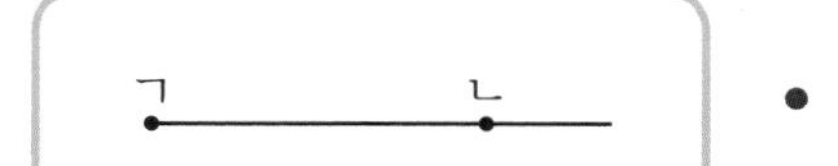

반직선 ㄱㄴ

반직선 ㄴㄱ

선분 ㄱㄴ

직선 ㄴㄱ

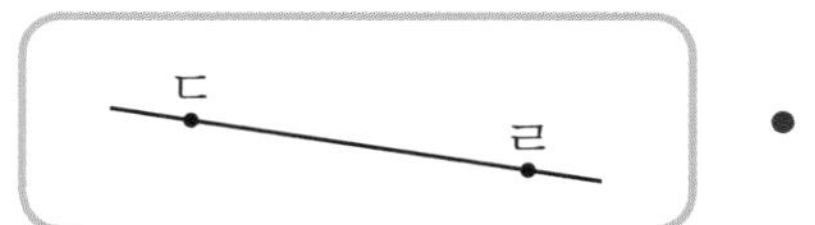

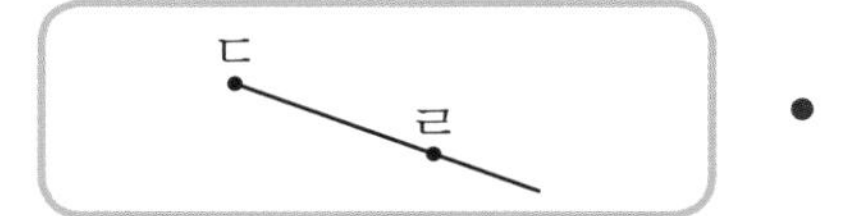

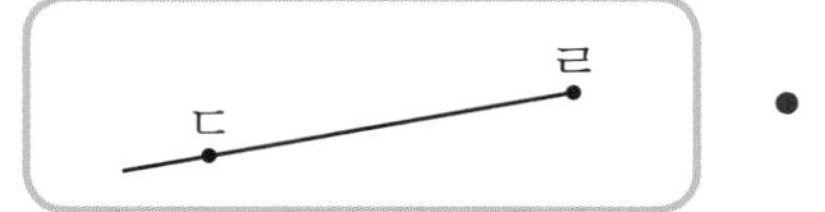

선분 ㄹㄷ

직선 ㄷㄹ

반직선 ㄹㄷ

반직선 ㄷㄹ

04일 여러 가지 선

선을 그어 보세요.

선분 ㄱㄴ	선분 ㄴㄱ	직선 ㄱㄴ	직선 ㄴㄱ
ㄱ ㄴ	ㄱ ㄴ	ㄱ ㄴ	ㄱ ㄴ

선분 ㄷㄹ	반직선 ㄷㄹ	반직선 ㄹㄷ	직선 ㄷㄹ
ㄹ ㄷ	ㄹ ㄷ	ㄹ ㄷ	ㄹ ㄷ

직선 ㅂㅁ	선분 ㅂㅁ	반직선 ㅂㅁ	반직선 ㅁㅂ
ㅁ ㅂ	ㅁ ㅂ	ㅁ ㅂ	ㅁ ㅂ

선분, 반직선, 직선을 찾아 이름을 써 보세요.

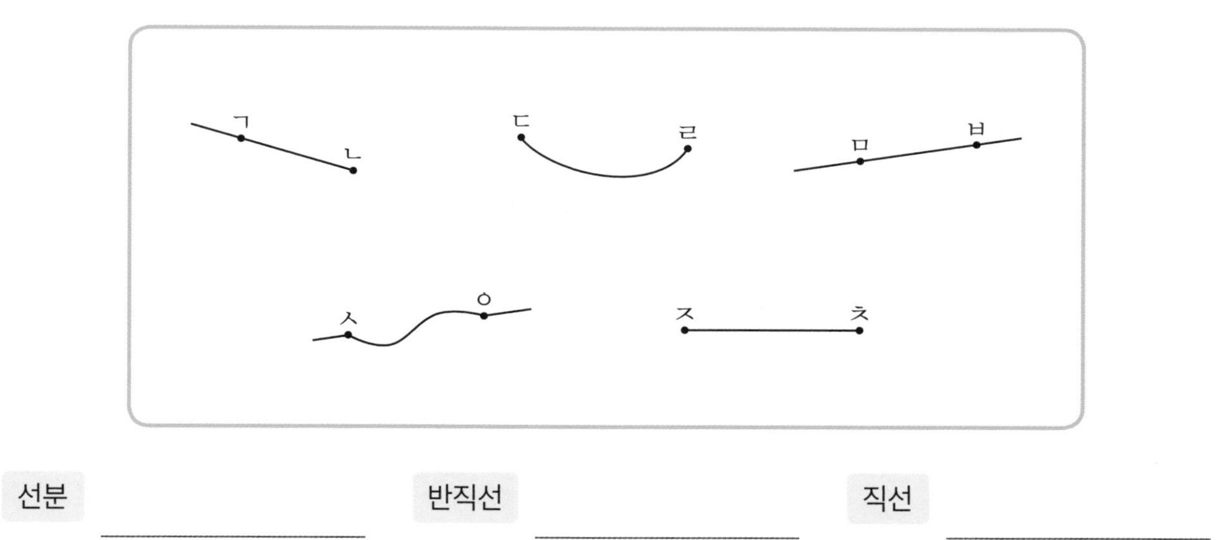

선분 ______ 반직선 ______ 직선 ______

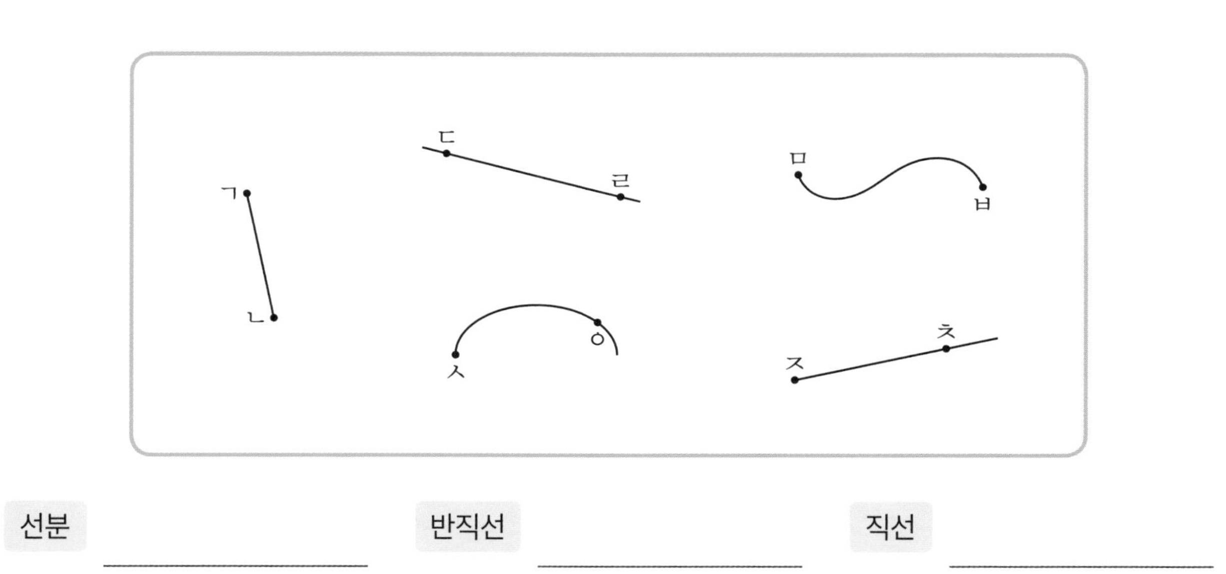

선분 ______ 반직선 ______ 직선 ______

05일 선의 특징

1 선분, 반직선, 직선의 특징을 따라 선을 그어 보세요.

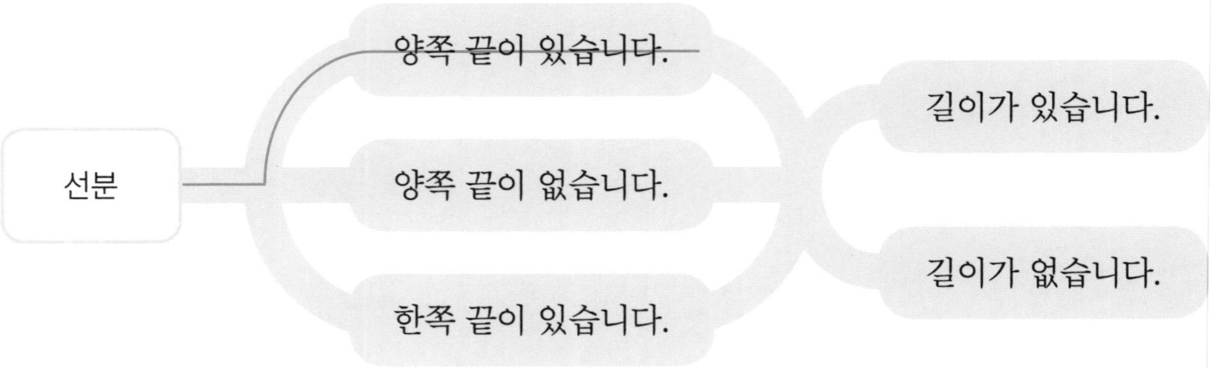

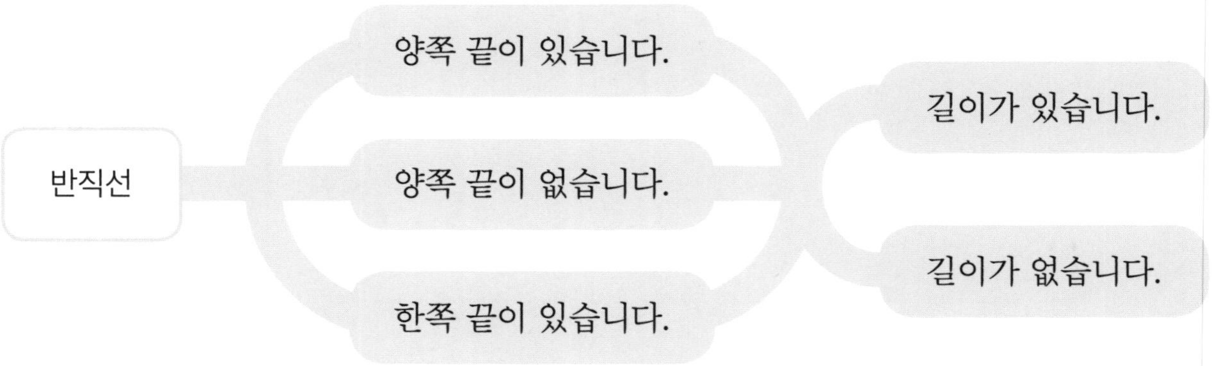

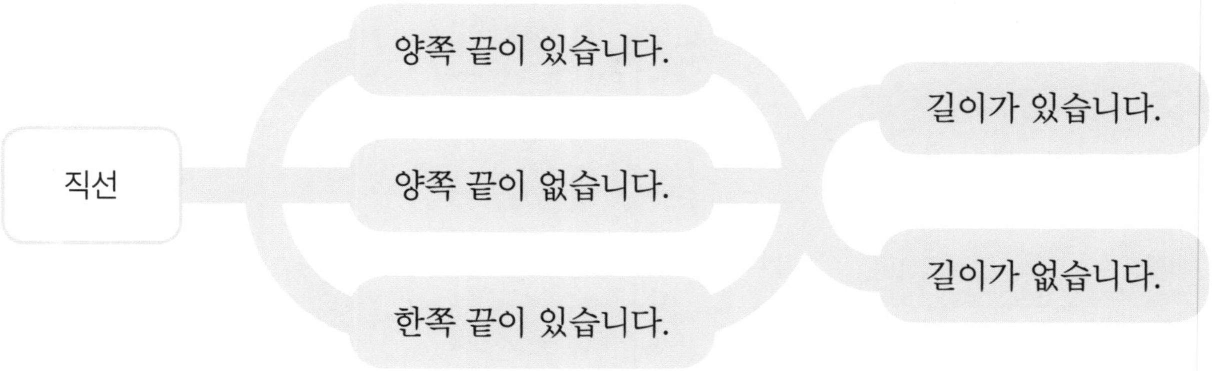

선분

양쪽 끝이 있습니다.
양쪽 끝이 없습니다.
한쪽 끝이 있습니다.

길이가 있습니다.
길이가 없습니다.

반직선

양쪽 끝이 있습니다.
양쪽 끝이 없습니다.
한쪽 끝이 있습니다.

길이가 있습니다.
길이가 없습니다.

직선

양쪽 끝이 있습니다.
양쪽 끝이 없습니다.
한쪽 끝이 있습니다.

길이가 있습니다.
길이가 없습니다.

바르게 설명한 것에 ◯표, 잘못 설명한 것에 ╳표 하세요.

직선은 선분을 양쪽으로 끝없이 늘인 곧은 선입니다. ( )

두 점을 이은 굽은 선도 선분입니다. ( )

반직선은 한 점에서 시작하여 한쪽으로 끝없이 늘인 곧은 선입니다. ( )

선분 ㄱㄴ은 선분 ㄴㄱ이라고도 할 수 있습니다. ( )

직선 ㄷㄹ은 직선 ㄹㄷ이라고도 할 수 있습니다. ( )

반직선 ㅁㅂ은 반직선 ㅂㅁ이라고도 할 수 있습니다. ( )

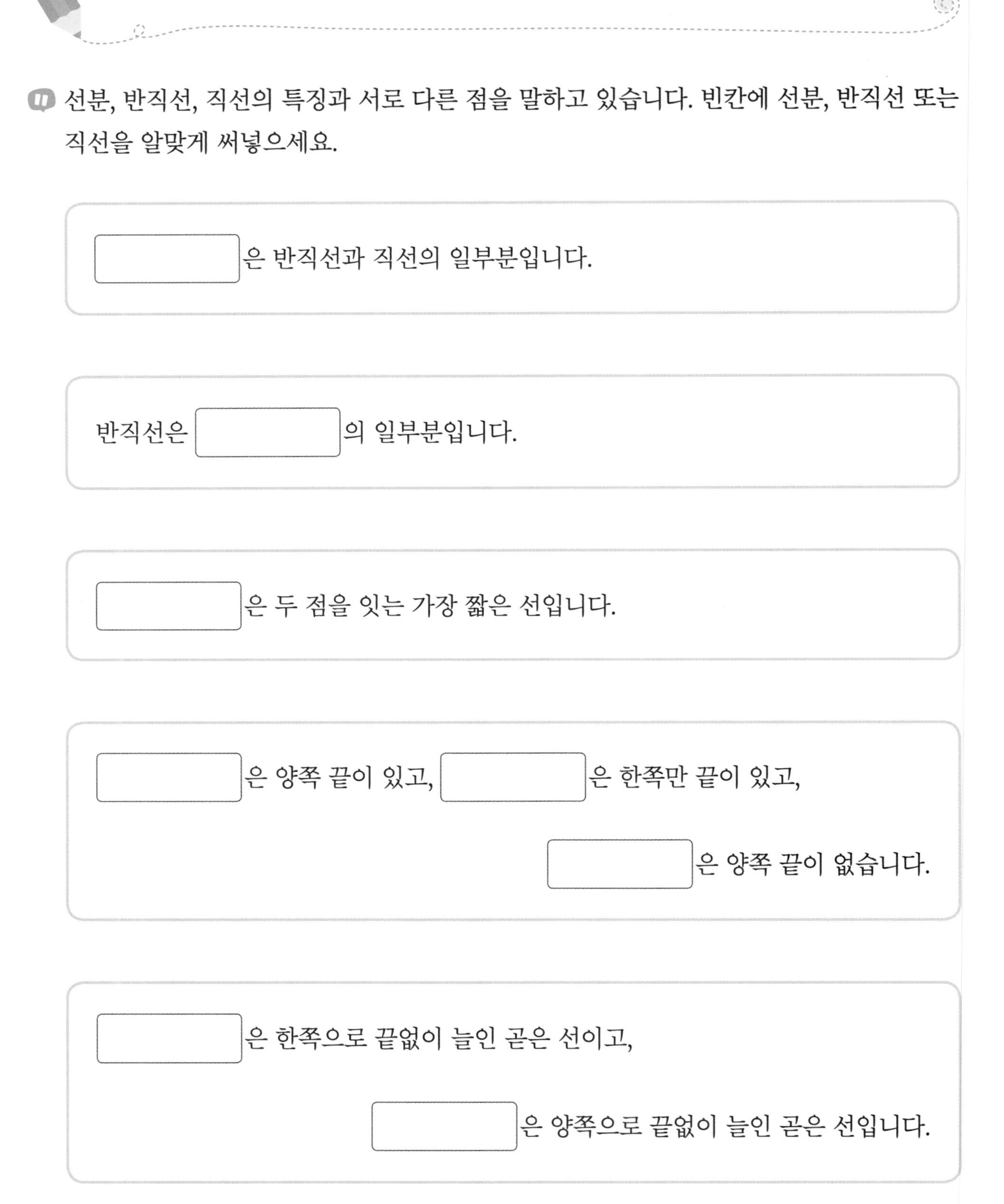

선분, 반직선, 직선의 특징과 서로 다른 점을 말하고 있습니다. 빈칸에 선분, 반직선 또는 직선을 알맞게 써넣으세요.

☐ 은 반직선과 직선의 일부분입니다.

반직선은 ☐ 의 일부분입니다.

☐ 은 두 점을 잇는 가장 짧은 선입니다.

☐ 은 양쪽 끝이 있고, ☐ 은 한쪽만 끝이 있고, ☐ 은 양쪽 끝이 없습니다.

☐ 은 한쪽으로 끝없이 늘인 곧은 선이고, ☐ 은 양쪽으로 끝없이 늘인 곧은 선입니다.

2주차
06~10일

선 긋기

06일 선분, 반직선, 직선 (1)

선분을 그어 보세요.

선분 ㄱㄴ

ㄱ ㄴ ㄷ

선분 ㄱㄴ과 선분 ㄴㄱ은 같습니다.

선분 ㄷㄴ

ㄱ ㄴ ㄷ

선분 ㄱㄷ

ㄱ ㄴ ㄷ

선분 ㄴㄱ

ㄱ ㄷ ㄴ

선분 ㄴㄷ

ㄱ ㄷ ㄴ

선분 ㄷㄱ

ㄱ ㄷ ㄴ

선분 ㄹㄷ

ㄱ ㄹ ㄴ ㄷ

선분 ㄱㄷ

ㄱ ㄹ ㄴ ㄷ

선분 ㄴㄹ

ㄱ ㄹ ㄴ ㄷ

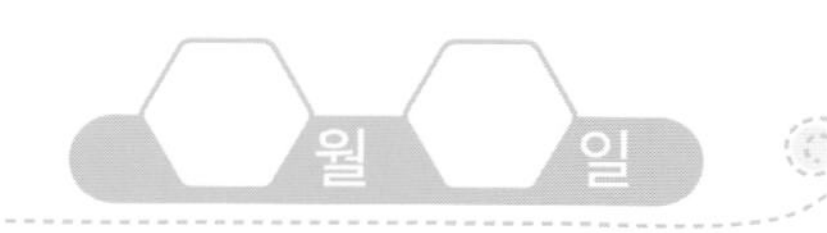

반직선을 그어 보세요.

반직선 ㄱㄴ

ㄱ

ㄴ ㄷ

반직선 ㄱㄴ과 반직선 ㄴㄱ은 다릅니다.

반직선 ㄴㄷ

ㄱ

ㄴ ㄷ

반직선 ㄴㄷ

ㄱ ㄷ

ㄴ

반직선 ㄷㄱ

ㄱ ㄷ

ㄴ

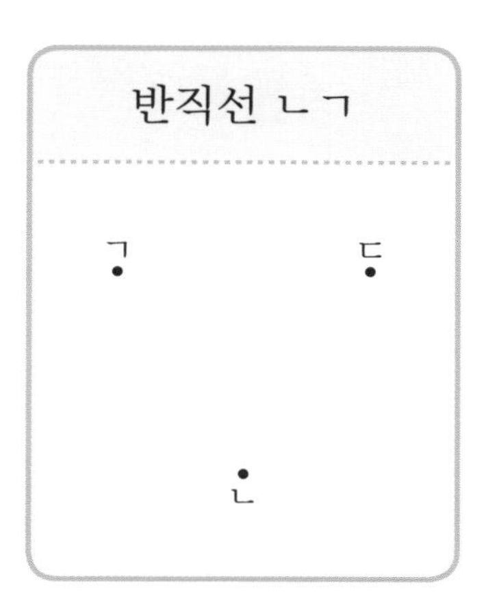

반직선 ㄹㄴ

ㄱ ㄹ

ㄴ ㄷ

반직선 ㄴㄱ

ㄱ ㄹ

ㄴ ㄷ

반직선 ㄷㄱ

ㄱ ㄹ

ㄴ ㄷ

07일 선분, 반직선, 직선 (2)

직선을 그어 보세요.

직선 ㄱㄴ

ㄱ ㄴ ㄷ

직선 ㄱㄴ과 직선 ㄴㄱ은 같습니다.

직선 ㄱㄷ

ㄱ ㄴ ㄷ

직선 ㄷㄴ

ㄱ ㄴ ㄷ

직선 ㄷㄱ

ㄱ ㄷ ㄴ

직선 ㄷㄴ

ㄱ ㄷ ㄴ

직선 ㄴㄱ

ㄱ ㄷ ㄴ

직선 ㄱㄷ

ㄱ ㄹ ㄴ ㄷ

직선 ㄷㄹ

ㄱ ㄹ ㄴ ㄷ

직선 ㄴㄹ

ㄱ ㄹ ㄴ ㄷ

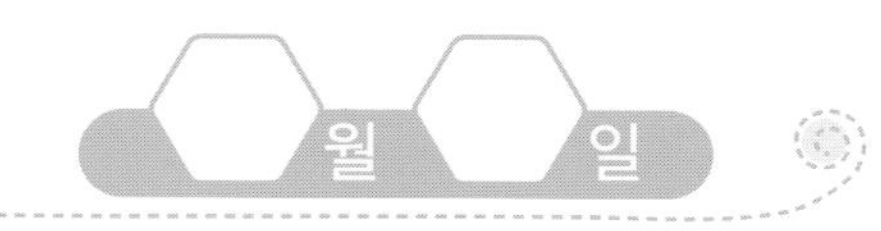

주어진 선을 모두 그어 보세요.

선분 ㄱㅂ
직선 ㅁㄹ 반직선 ㄴㄷ

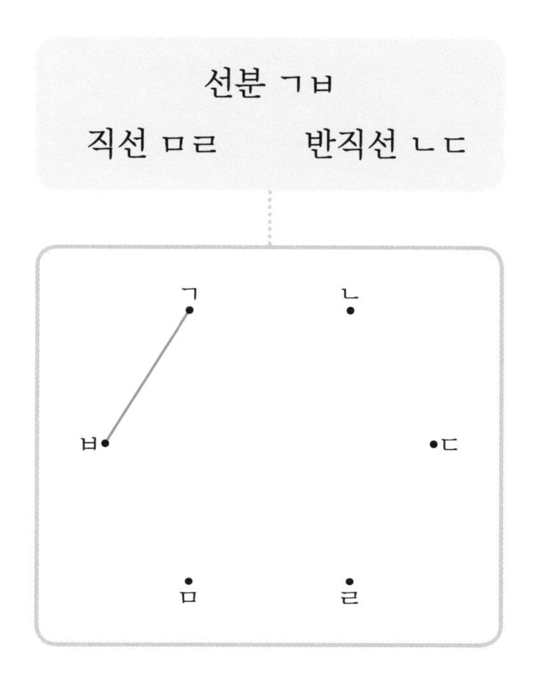

직선 ㄴㄱ
반직선 ㅂㅁ 선분 ㄹㄷ

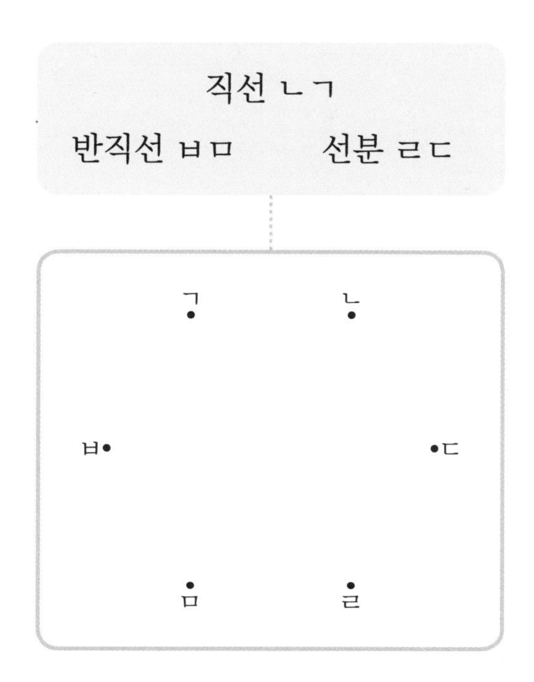

선분 ㄱㄷ
반직선 ㅁㄱ 직선 ㄷㅁ

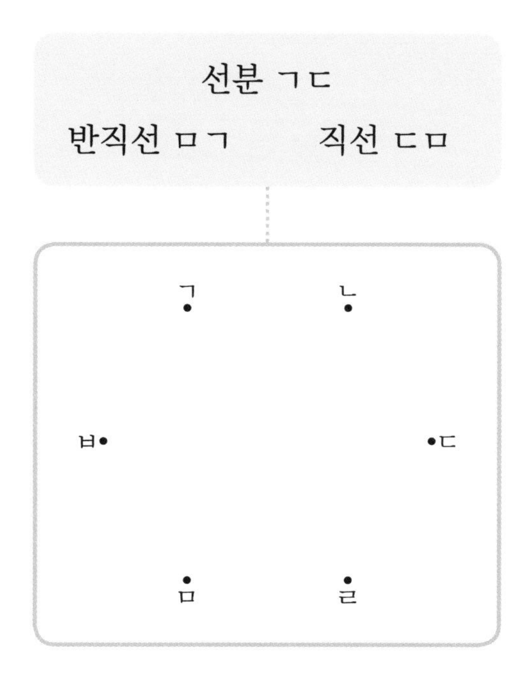

반직선 ㄷㅂ
선분 ㅂㄴ 직선 ㄴㄷ

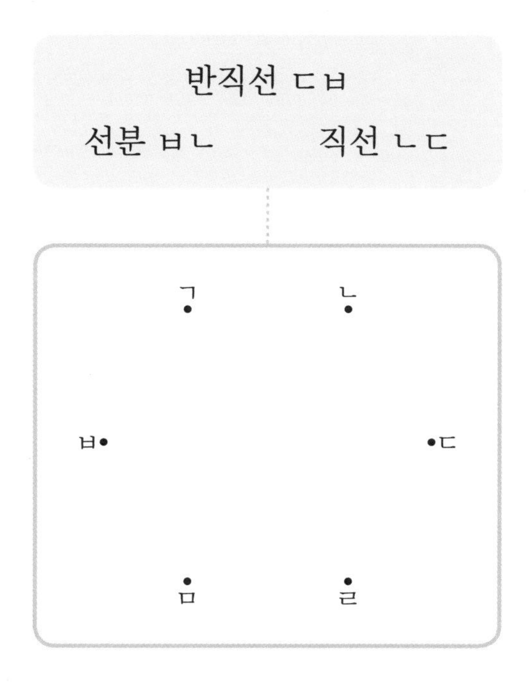

08일 선분으로 그린 도형

주어진 선분을 차례로 그어 삼각형을 그려 보세요.

① 선분 ㄱㅂ
② 선분 ㅂㅁ
③ 선분 ㅁㄱ

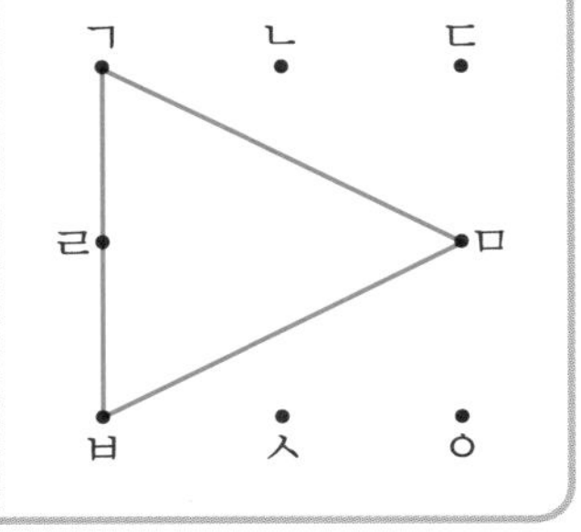
ㄱ ㄴ ㄷ
ㄹ ㅁ
ㅂ ㅅ ㅇ

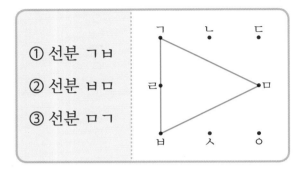

점 ㄹ은 선분 ㄱㅂ의 일부분입니다.

① 선분 ㄴㄹ
② 선분 ㄹㅁ
③ 선분 ㅁㄴ

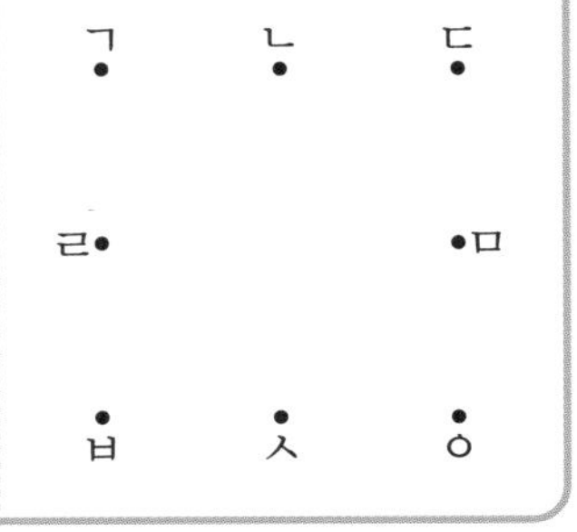
ㄱ ㄴ ㄷ
ㄹ ㅁ
ㅂ ㅅ ㅇ

① 선분 ㅁㄱ
② 선분 ㄱㅅ
③ 선분 ㅅㅁ

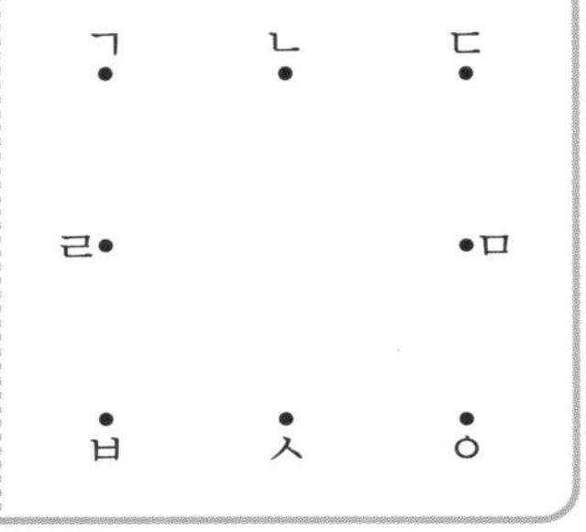
ㄱ ㄴ ㄷ
ㄹ ㅁ
ㅂ ㅅ ㅇ

① 선분 ㄷㅂ
② 선분 ㅂㅇ
③ 선분 ㅇㄷ

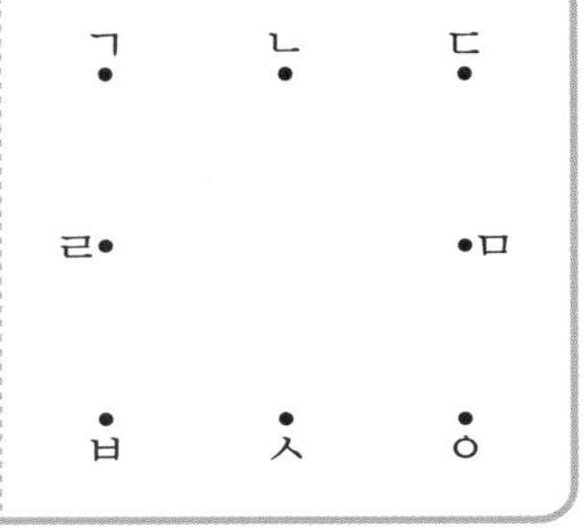
ㄱ ㄴ ㄷ
ㄹ ㅁ
ㅂ ㅅ ㅇ

① 선분 ㅂㅅ
② 선분 ㅅㄷ
③ 선분 ㄷㅂ

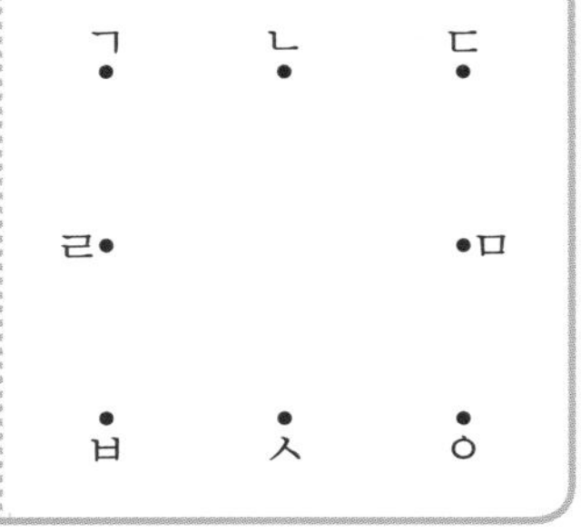
ㄱ ㄴ ㄷ
ㄹ ㅁ
ㅂ ㅅ ㅇ

① 선분 ㄴㅁ
② 선분 ㅁㅇ
③ 선분 ㅇㄴ

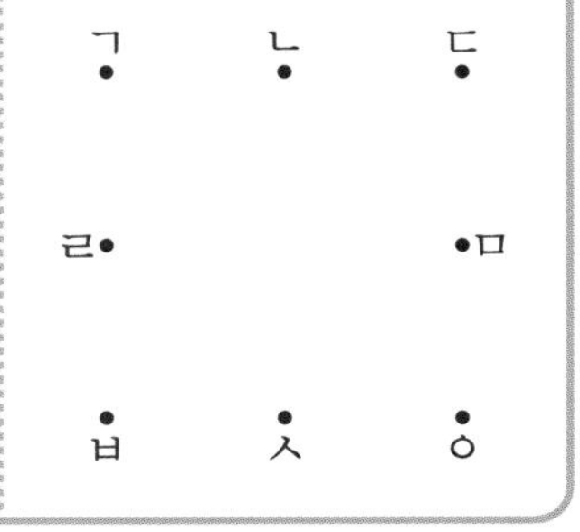
ㄱ ㄴ ㄷ
ㄹ ㅁ
ㅂ ㅅ ㅇ

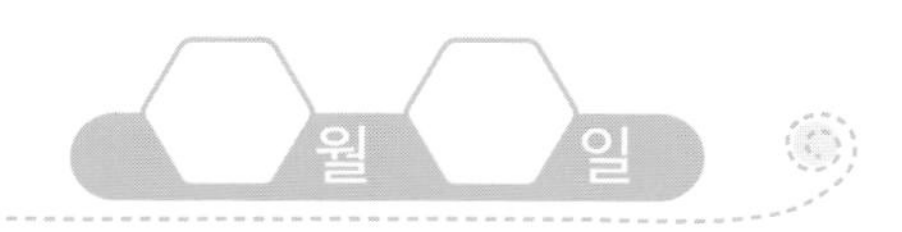

주어진 선분을 차례로 그어 사각형을 그려 보세요.

	ㄱ	ㄴ	ㄷ
① 선분 ㄱㅂ ② 선분 ㅂㅇ ③ 선분 ㅇㄷ ④ 선분 ㄷㄱ	ㄹ		ㅁ
	ㅂ	ㅅ	ㅇ

	ㄱ	ㄴ	ㄷ
① 선분 ㄴㅂ ② 선분 ㅂㅅ ③ 선분 ㅅㄷ ④ 선분 ㄷㄴ	ㄹ		ㅁ
	ㅂ	ㅅ	ㅇ

	ㄱ	ㄴ	ㄷ
① 선분 ㄴㄹ ② 선분 ㄹㅅ ③ 선분 ㅅㅁ ④ 선분 ㅁㄴ	ㄹ		ㅁ
	ㅂ	ㅅ	ㅇ

	ㄱ	ㄴ	ㄷ
① 선분 ㄱㅇ ② 선분 ㅇㅁ ③ 선분 ㅁㄴ ④ 선분 ㄴㄱ	ㄹ		ㅁ
	ㅂ	ㅅ	ㅇ

	ㄱ	ㄴ	ㄷ
① 선분 ㄴㅁ ② 선분 ㅁㅇ ③ 선분 ㅇㅂ ④ 선분 ㅂㄴ	ㄹ		ㅁ
	ㅂ	ㅅ	ㅇ

	ㄱ	ㄴ	ㄷ
① 선분 ㄷㄴ ② 선분 ㄴㅂ ③ 선분 ㅂㅁ ④ 선분 ㅁㄷ	ㄹ		ㅁ
	ㅂ	ㅅ	ㅇ

09일 선 찾기

그어진 선을 찾아 모두 ○표 하세요.

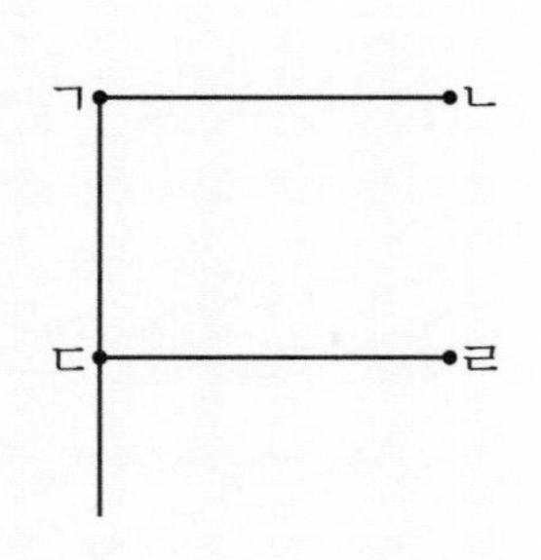

직선 ㄱㄷ	선분 ㄱㄴ
반직선 ㄱㄷ	직선 ㄷㄹ
반직선 ㄴㄹ	선분 ㄹㄷ

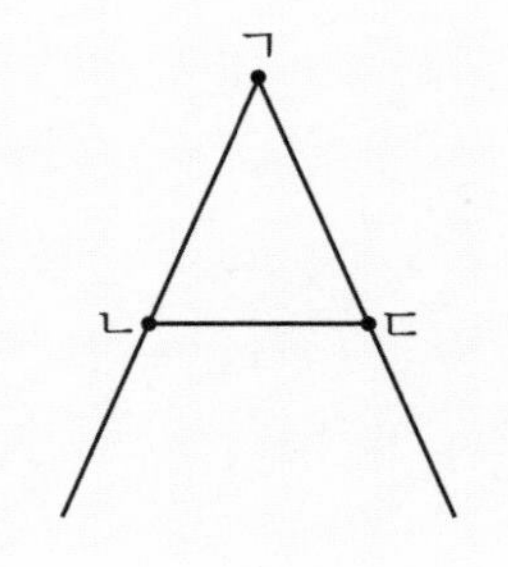

반직선 ㄱㄷ	선분 ㄷㄴ
직선 ㄴㄷ	직선 ㄴㄱ
반직선 ㄱㄴ	반직선 ㄷㄱ

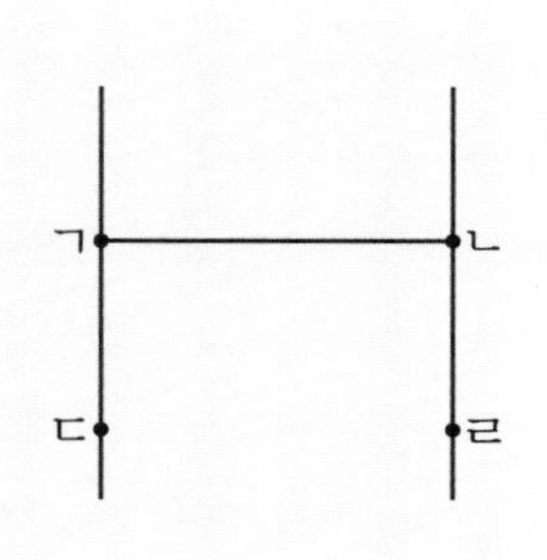

선분 ㄴㄱ	직선 ㄱㄴ
직선 ㄱㄷ	반직선 ㄱㄴ
선분 ㄷㄹ	직선 ㄹㄴ

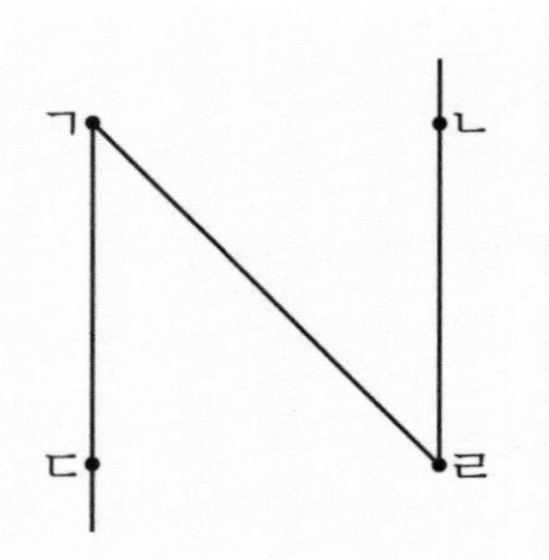

반직선 ㄷㄱ	직선 ㄴㄹ
반직선 ㄱㄷ	선분 ㄱㄹ
직선 ㄹㄱ	반직선 ㄹㄴ

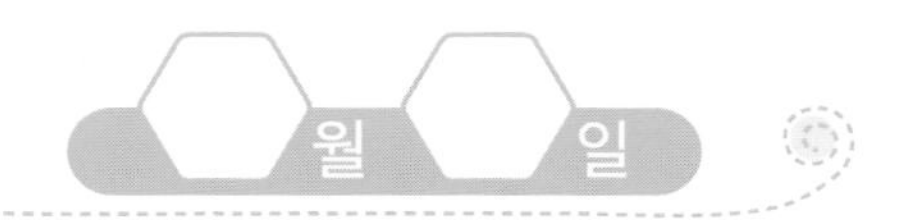

그어진 선이 아닌 것에 ×표 하세요.

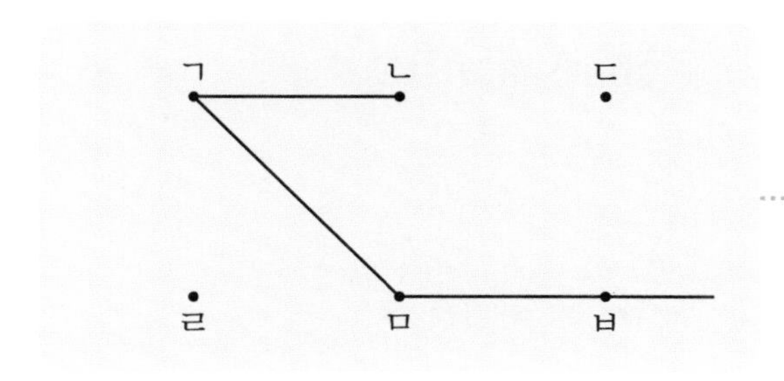

선분 ㄱㄴ	직선 ㅂㅁ
선분 ㅁㄱ	반직선 ㅁㅂ

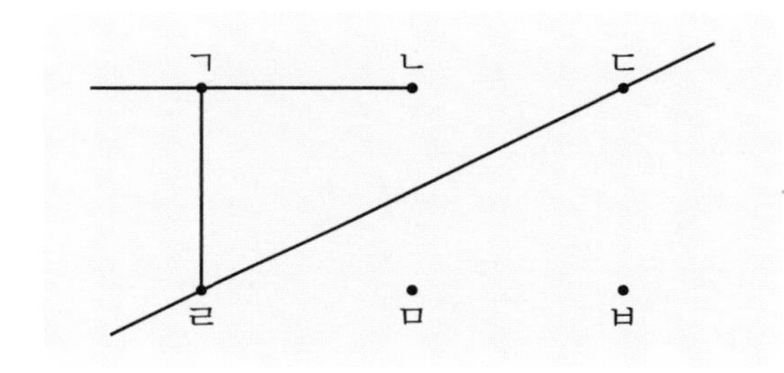

반직선 ㄱㄴ	반직선 ㄴㄱ
직선 ㄷㄹ	선분 ㄱㄹ

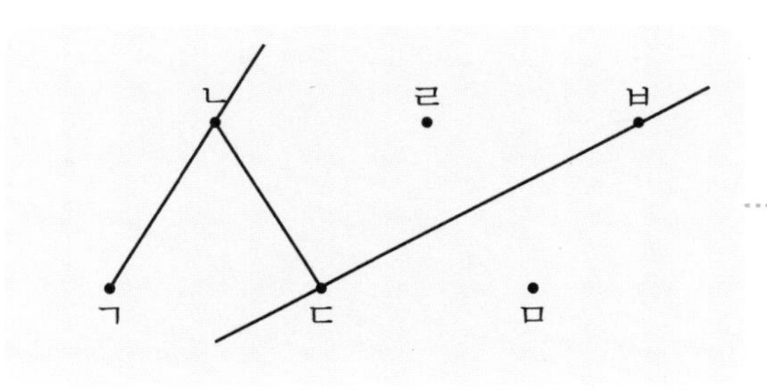

선분 ㄷㄴ	반직선 ㄱㄴ
직선 ㄴㄷ	직선 ㅂㄷ

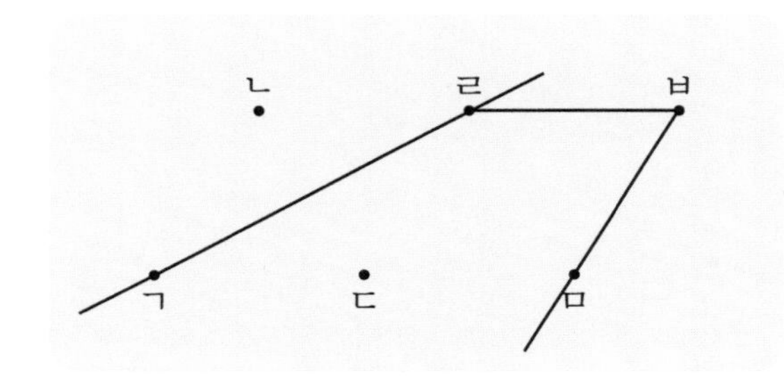

선분 ㅂㄹ	직선 ㄹㄱ
반직선 ㅂㅁ	반직선 ㅁㅂ

10일 그을 수 있는 선

조건에 맞게 그을 수 있는 선을 모두 그어 보세요.

두 점을 잇는 선분

ㄱ ㄴ

두 점을 지나는 직선

ㄱ ㄴ

한 점에서 시작하여 다른 점을 지나는 반직선

ㄱ ㄴ

ㄱ ㄴ

세 점 중 두 점을 잇는 선분

ㄱ
ㄴ ㄷ

ㄱ
ㄴ ㄷ

ㄱ
ㄴ ㄷ

조건에 맞게 그을 수 있는 선을 모두 그어 보세요.

세 점 중 두 점을 지나는 직선

ㄱ ㄴ ㄷ

ㄱ ㄴ ㄷ

ㄱ ㄴ ㄷ

세 점 중 한 점에서 시작하여 다른 점을 지나는 반직선

ㄱ ㄴ ㄷ

ㄱ ㄴ ㄷ

ㄱ ㄴ ㄷ

ㄱ ㄴ ㄷ

ㄱ ㄴ ㄷ

ㄱ ㄴ ㄷ

물음에 답하세요.

네 점 중 두 점을 이어서 그을 수 있는 선분은 모두 몇 개일까요?

ㄱ ㄴ

ㄷ ㄹ

( )개

네 점 중 한 점에서 시작하여 다른 점을 지나는 반직선은 모두 몇 개 그을 수 있을까요?

ㄱ ㄴ

ㄷ ㄹ

( )개

3주차
11~15일

각

11일 각 알기 (1)

1 각을 찾아 모두 ○표 하세요.

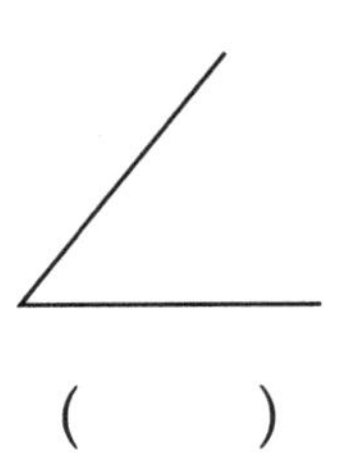
(　　)

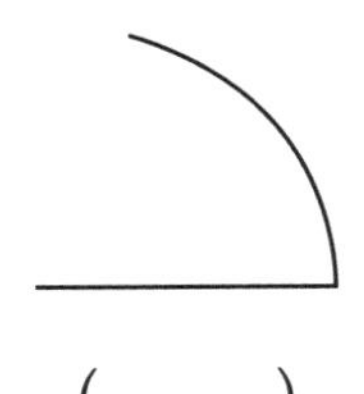
(　　)

(　　)

(　　)

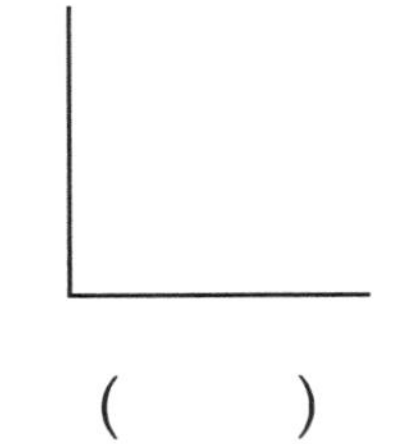
(　　)

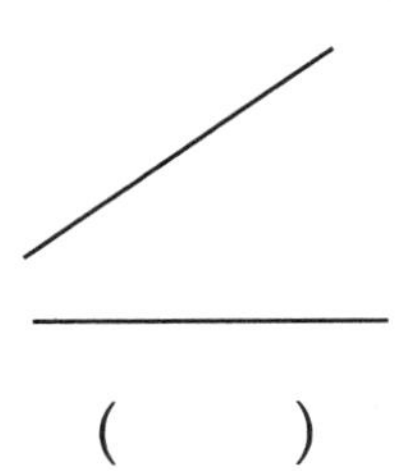
(　　)

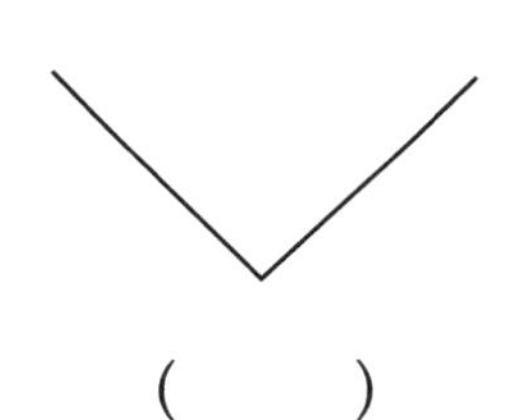
(　　)

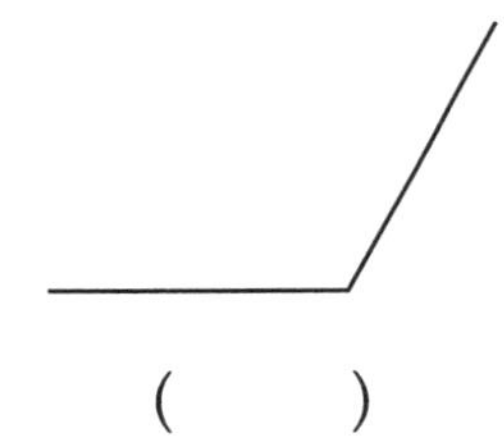
(　　)

(　　)

각

한 점에서 그은 두 **반직선**으로 이루어진 도형을 각이라고 합니다.

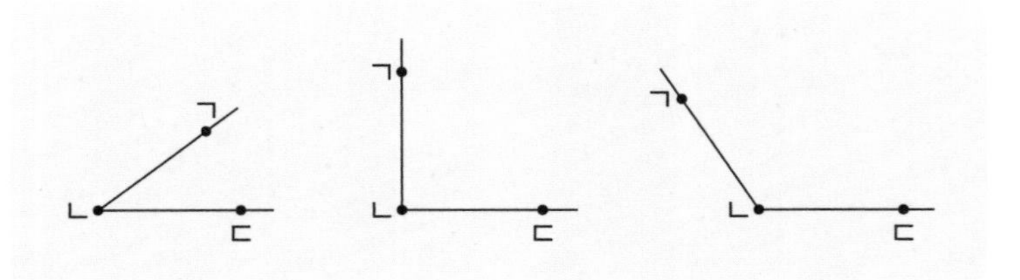

왼쪽의 각을 각 ㄱㄴㄷ 또는 각 ㄷㄴㄱ이라고 합니다.

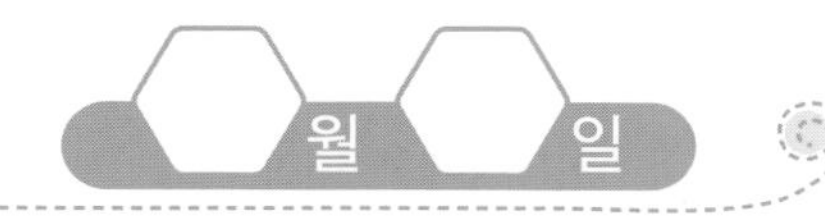

각을 바르게 읽은 것에 모두 ◯표 하세요.

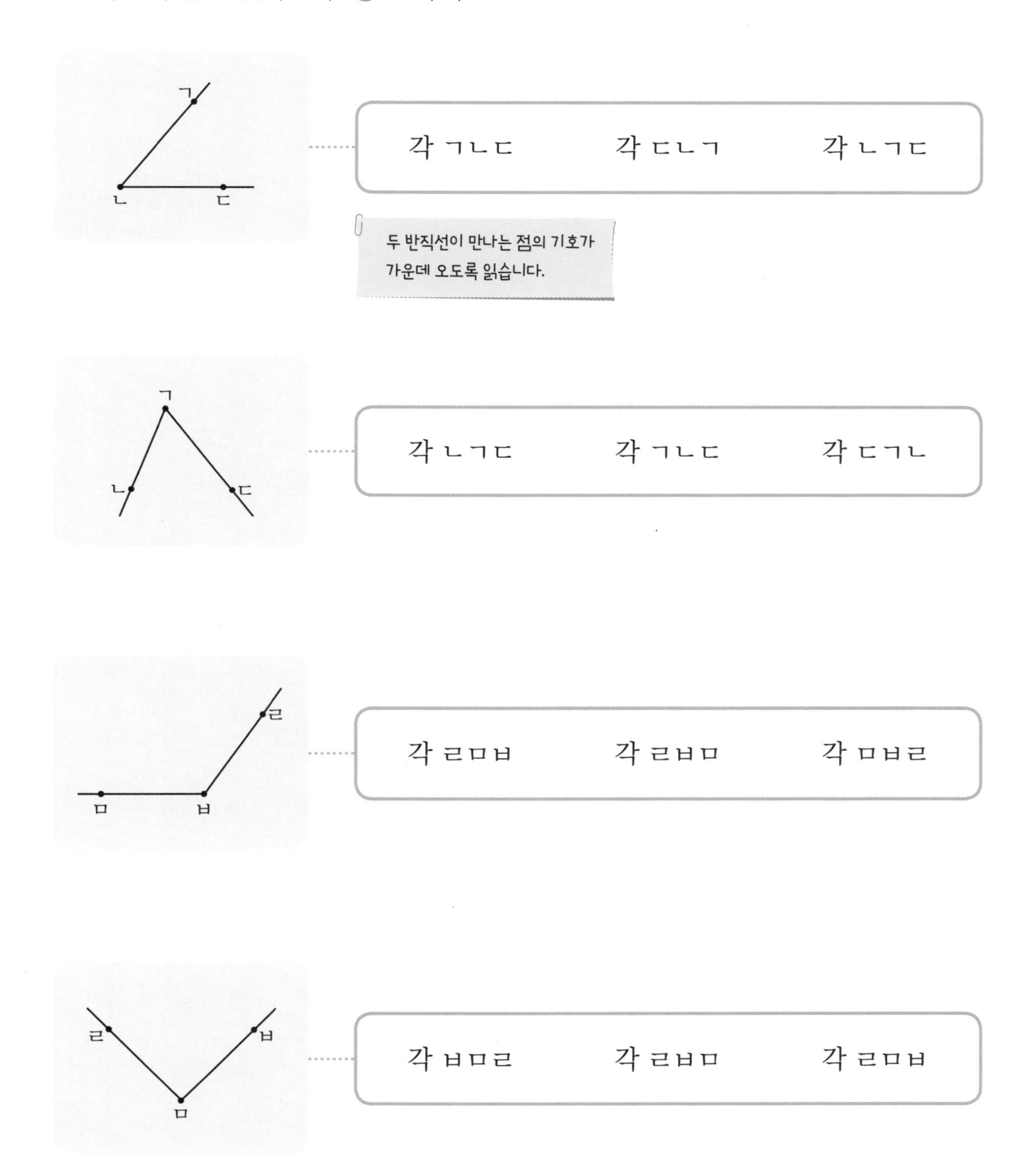

12일 각 알기 (2)

1 각, 각의 꼭짓점, 각의 변을 써 보세요.

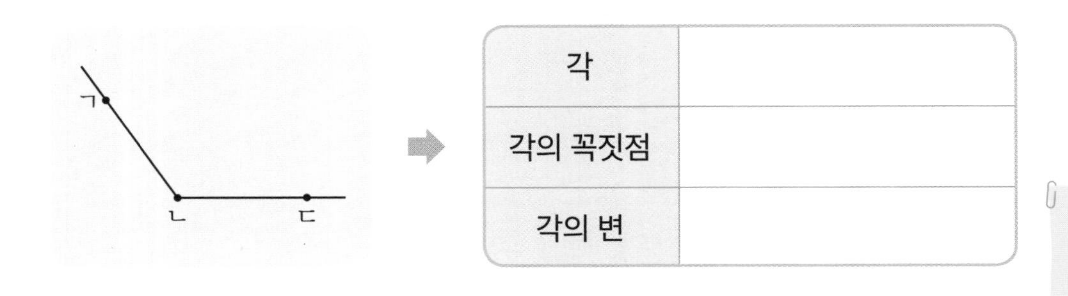

각	
각의 꼭짓점	
각의 변	

각의 변은 반직선이므로 시작점의 기호부터 씁니다.

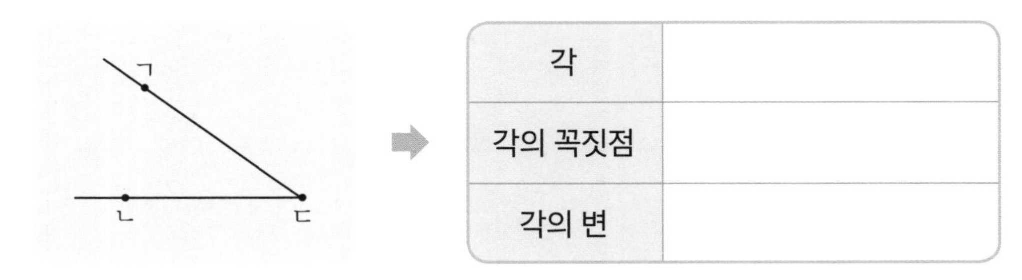

각	
각의 꼭짓점	
각의 변	

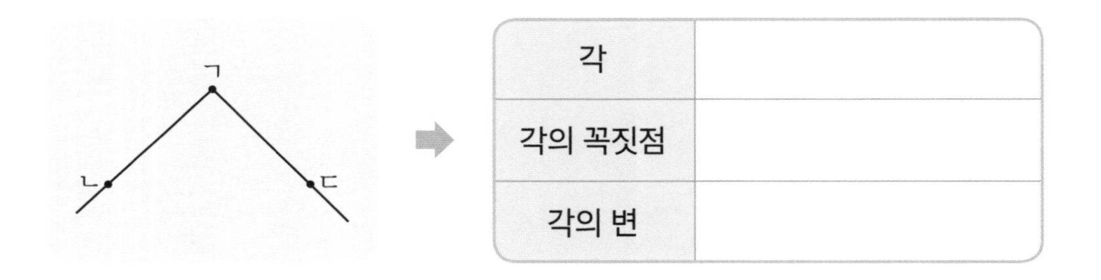

각	
각의 꼭짓점	
각의 변	

각의 꼭짓점과 변

각 ㄱㄴㄷ 또는 각 ㄷㄴㄱ에서 점 ㄴ을 각의 꼭짓점이라고 합니다.
반직선 ㄴㄱ과 반직선 ㄴㄷ을 각의 변이라고 하고, 이 변을 변 ㄴㄱ, 변 ㄴㄷ이라고 합니다.

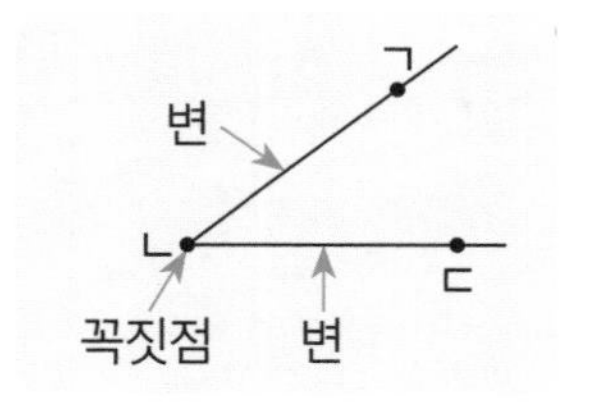

각: 각 ㄱㄴㄷ (또는 각 ㄷㄴㄱ)
각의 꼭짓점: 점 ㄴ
각의 변: 변 ㄴㄱ, 변 ㄴㄷ

알맞게 이어 보세요.

각의 꼭짓점	점 ㄱ	점 ㄴ	점 ㄷ

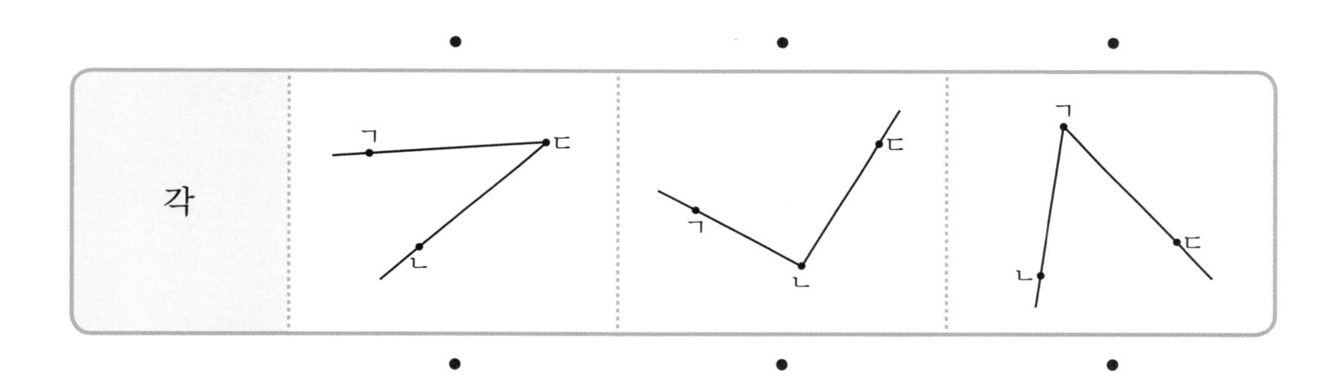

각의 변	변 ㄱㄴ	변 ㄴㄷ	변 ㄷㄱ	변 ㄱㄷ	변 ㄴㄱ	변 ㄷㄴ

13일 각 그리기 (1)

각의 꼭짓점에서 시작하여 한 점을 지나는 반직선을 그어 각을 완성해 보세요.

각 ㄱㄷㄴ입니다.

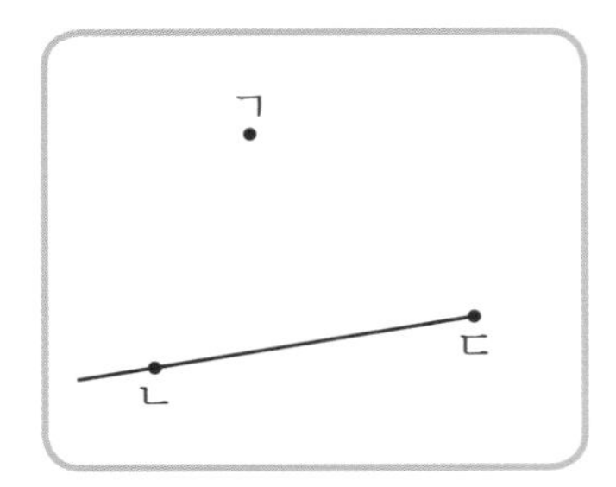

각 ㅁㅂㄹ입니다.

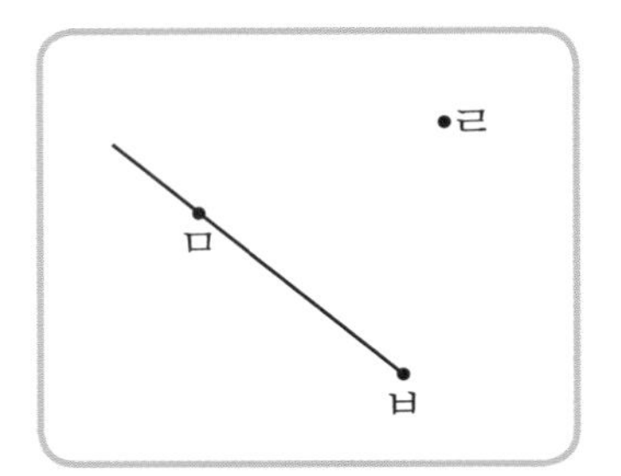

각의 꼭짓점이 점 ㄱ입니다.

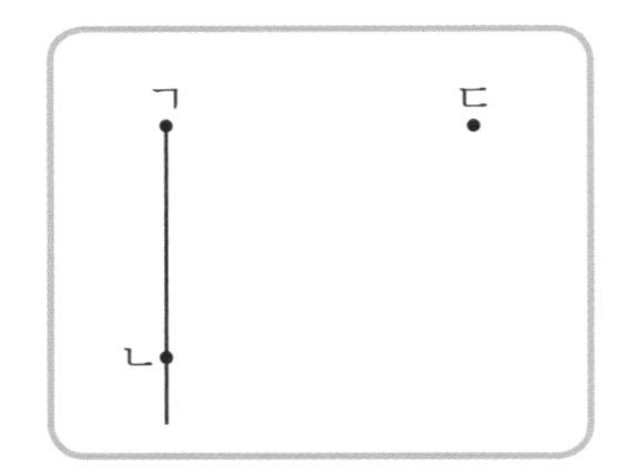

각의 꼭짓점이 점 ㄹ입니다.

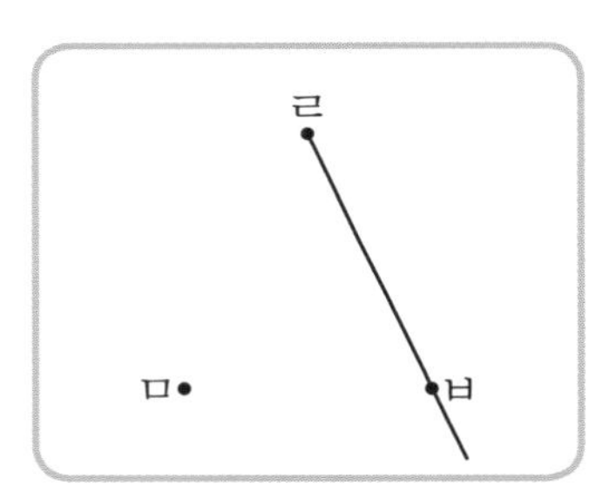

각의 한 변이 변 ㄷㄴ입니다.

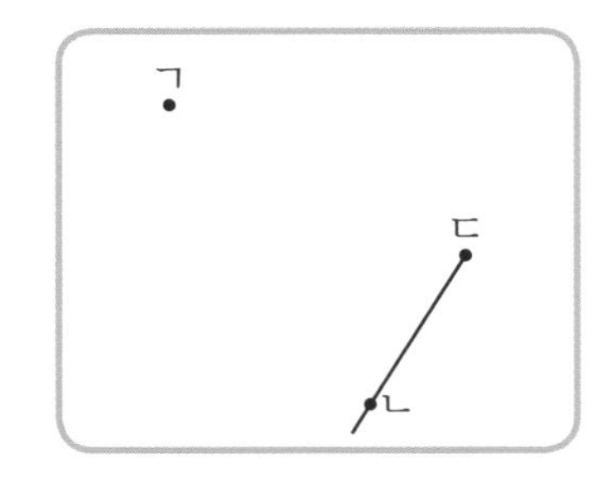

각의 한 변이 변 ㅂㄹ입니다.

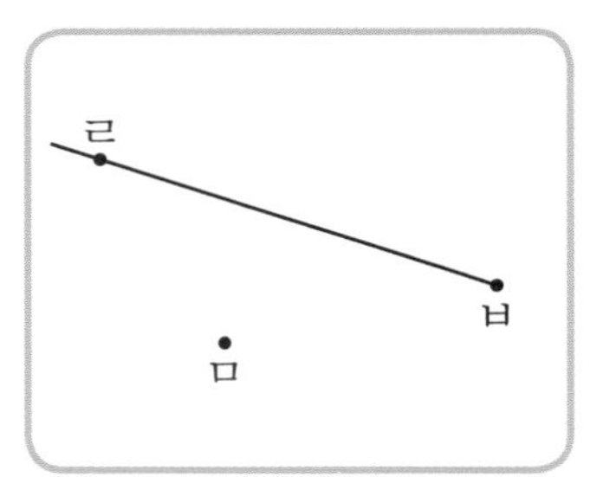

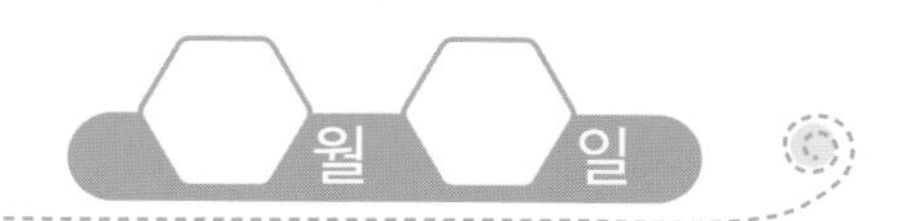

각을 그려 보세요.

각 ㄷㄴㄱ

ㄱ

ㄴ ㄷ

각 ㄴㄱㄷ

ㄱ

ㄴ ㄷ

각 ㄱㄷㄴ

ㄱ

ㄴ ㄷ

각 ㄴㄷㄱ

ㄱ ㄷ

ㄴ

각 ㄱㄴㄷ

ㄱ ㄷ

ㄴ

각 ㄷㄱㄴ

ㄱ ㄷ

ㄴ

각 ㄴㄱㄷ

ㄱ

ㄴ

ㄷ

각 ㄱㄷㄴ

ㄱ

ㄴ

ㄷ

각 ㄷㄴㄱ

ㄱ

ㄴ

ㄷ

14일 각 그리기 (2)

각을 모두 그려 보세요.

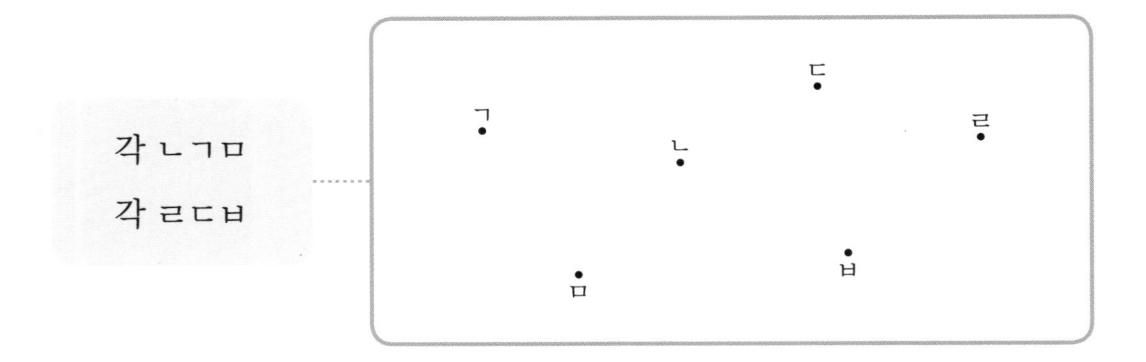

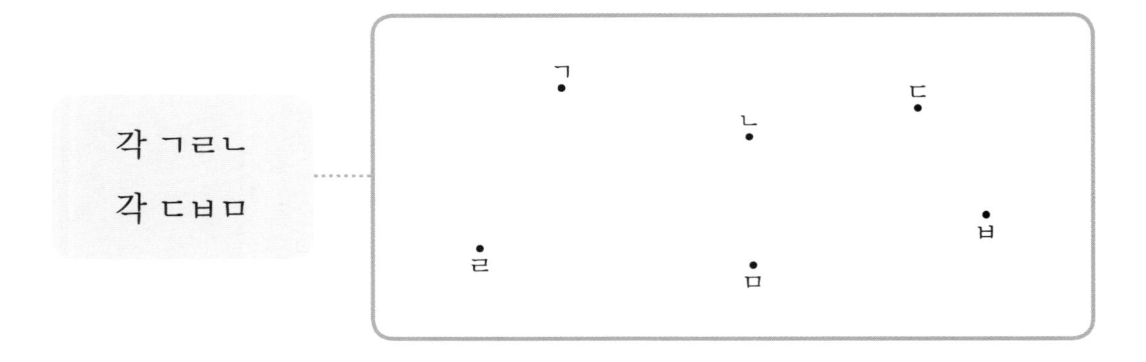

각 ㄷㄴㄱ

각 ㅁㅂㄹ

ㄴ ㄷ ㄹ ㄱ ㅁ ㅂ

각 2개를 그리고, 그린 각을 써 보세요.

ㄴ ㄹ
ㄱ ㄷ
ㅁ ㅂ

ㄱ ㄴ ㄷ
ㄹ ㅁ ㅂ

ㄱ ㄴ
ㅂ
ㄷ ㄹ
ㅁ

15일 각 설명하기

각을 바르게 설명한 것에 ◯표, 잘못 설명한 것에 ×표 하세요.

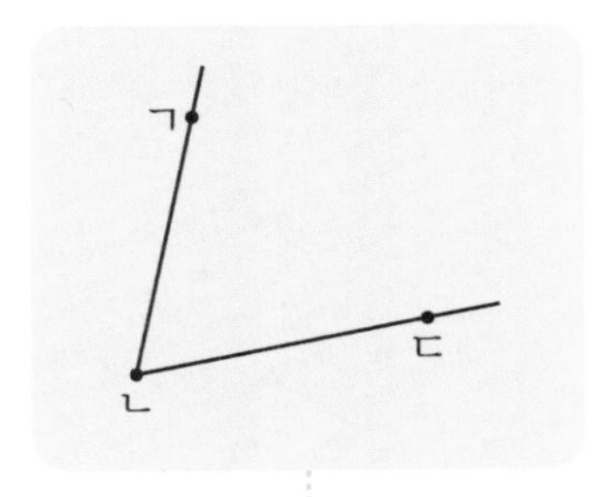

두 반직선이 만나는 점을 각의 꼭짓점이라고 합니다. ( )

각 ㄴㄱㄷ이라고 읽습니다. ( )

각의 변은 변 ㄴㄷ과 변 ㄴㄱ입니다. ( )

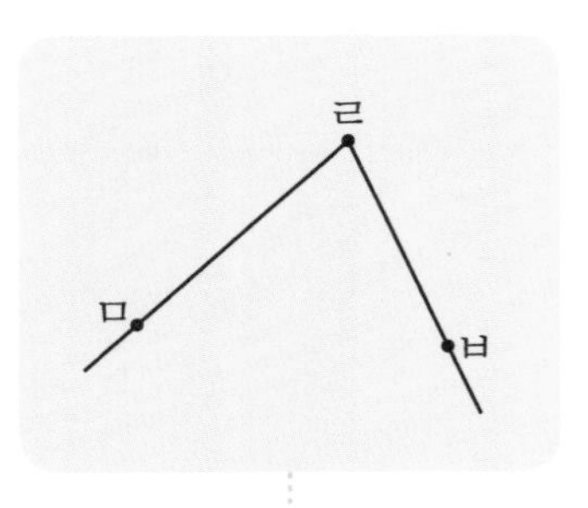

각 ㅂㄹㅁ이라고 읽습니다. ( )

각의 꼭짓점은 점 ㄹ입니다. ( )

반직선 ㅁㄹ과 반직선 ㅂㄹ을 각의 변이라고 합니다. ( )

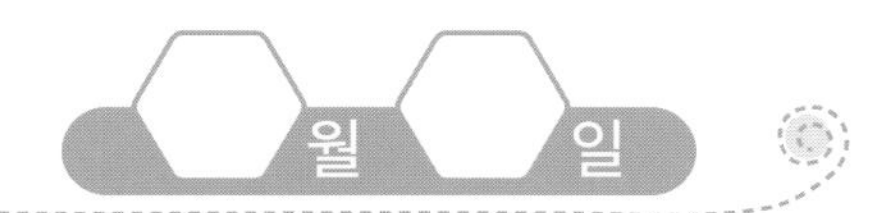

알맞은 말에 ◯표 하세요.

각은 두 반직선이 (한 점 , 두 점)에서 만납니다.

각은 (곧은 선 , 굽은 선)으로 이루어진 도형입니다.

각을 이루는 두 반직선을 각의 (변 , 꼭짓점)이라고 합니다.

각 ㄴㄱㄷ은 각 ㄱㄴㄷ이라고 읽을 수 (있습니다 , 없습니다).

각 ㄹㅂㅁ에서 각의 꼭짓점은 (점 ㅁ , 점 ㅂ)입니다.

각 ㄱㄴㄷ에서 각의 변은 (변 ㄱㄴ, 변 ㄴㄱ)과 (변 ㄴㄷ , 변 ㄷㄴ)입니다.

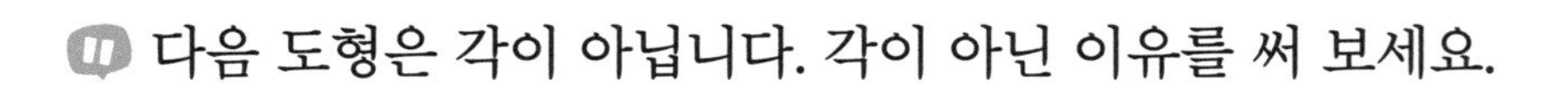

다음 도형은 각이 아닙니다. 각이 아닌 이유를 써 보세요.

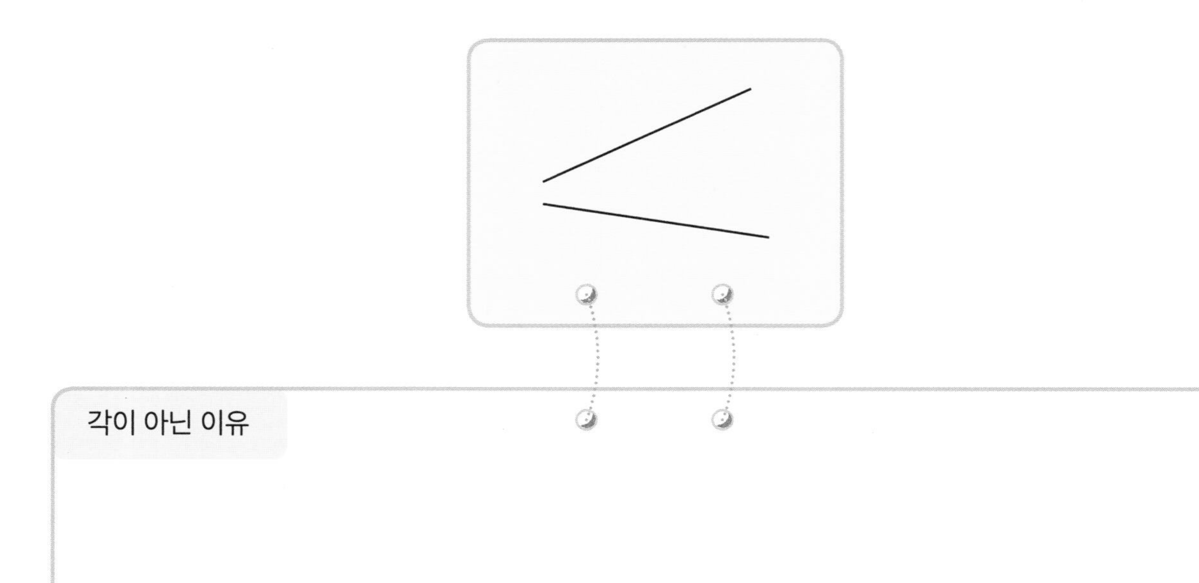

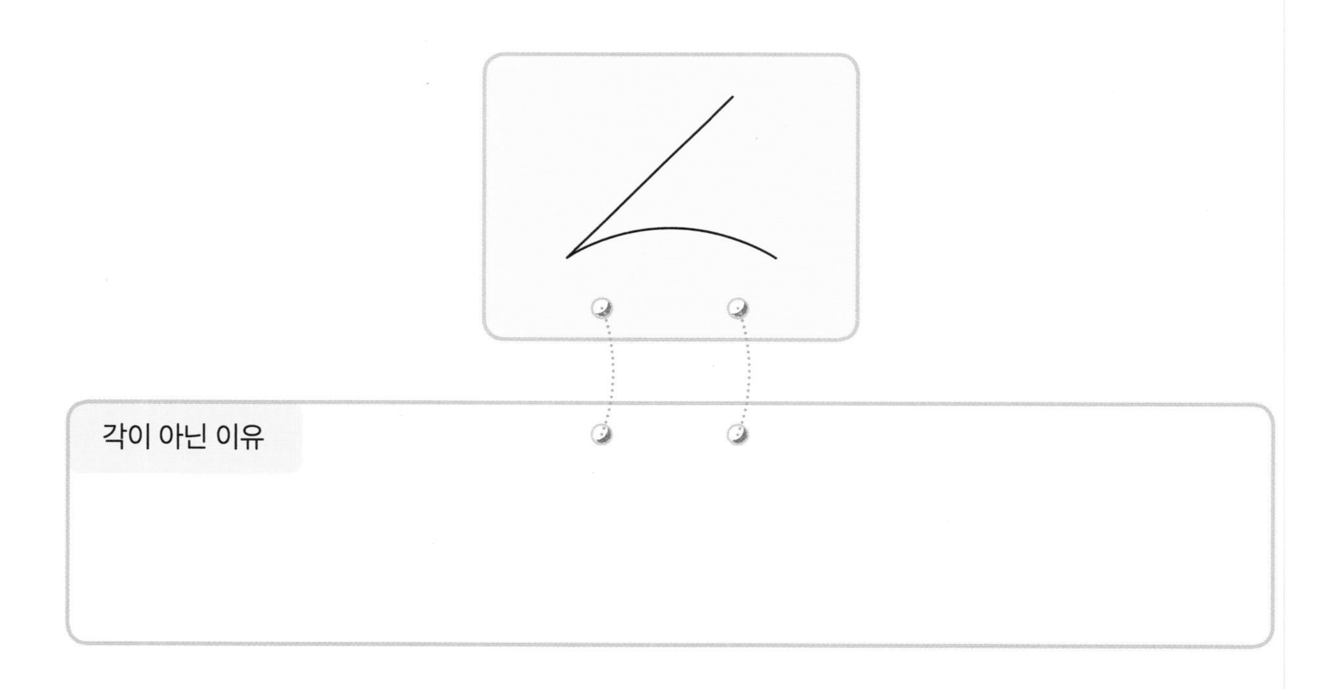

4주차
16~20일

직각

16일 직각 알기

1 직각을 찾아 모두 ○표 하세요.

( )

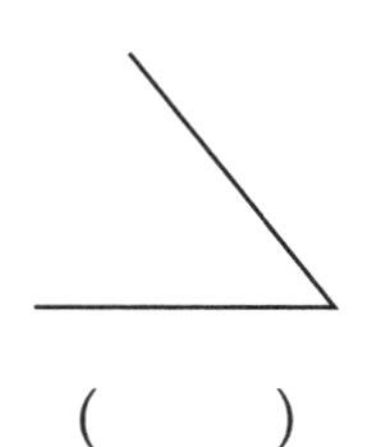

( )

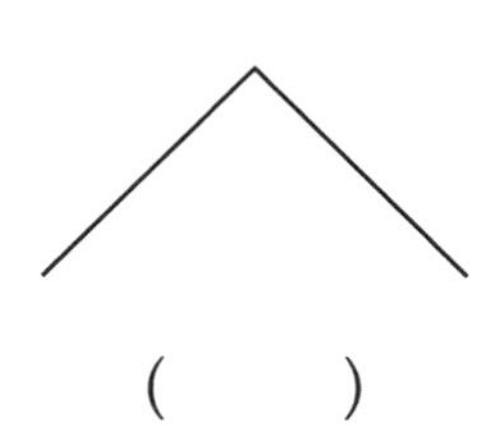

( )

( )

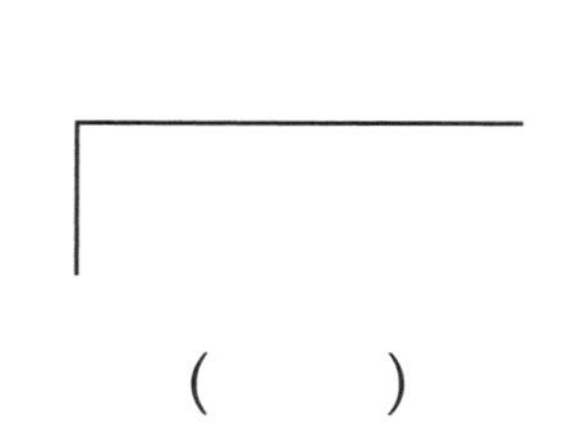

( )

( )

직각

종이를 반듯하게 두 번 접었을 때 생기는 각을 직각이라고 합니다.

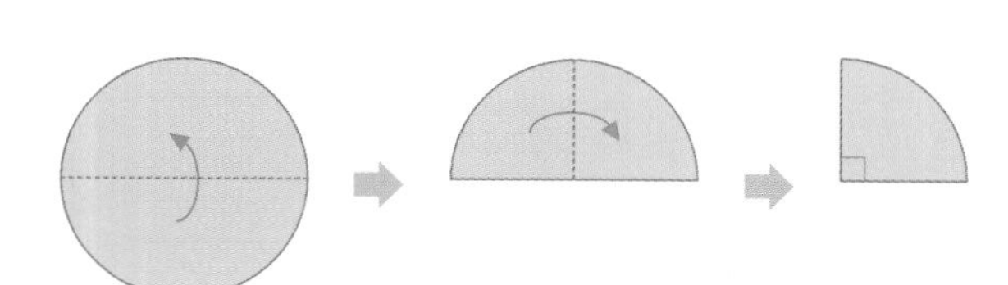

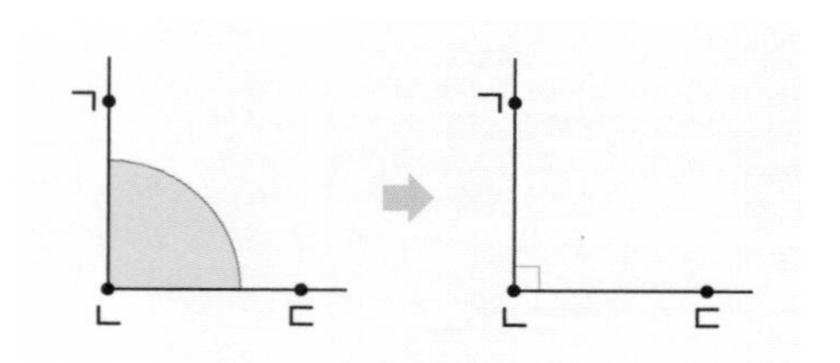

직각을 나타낼 때는 각의 꼭짓점 ㄴ에 ∟ 표시를 합니다.

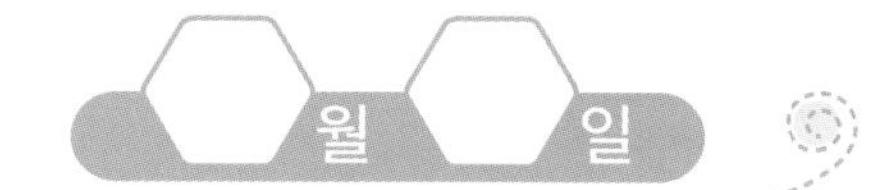
월
일

직각을 찾아 모두 ⌞로 표시해 보세요.

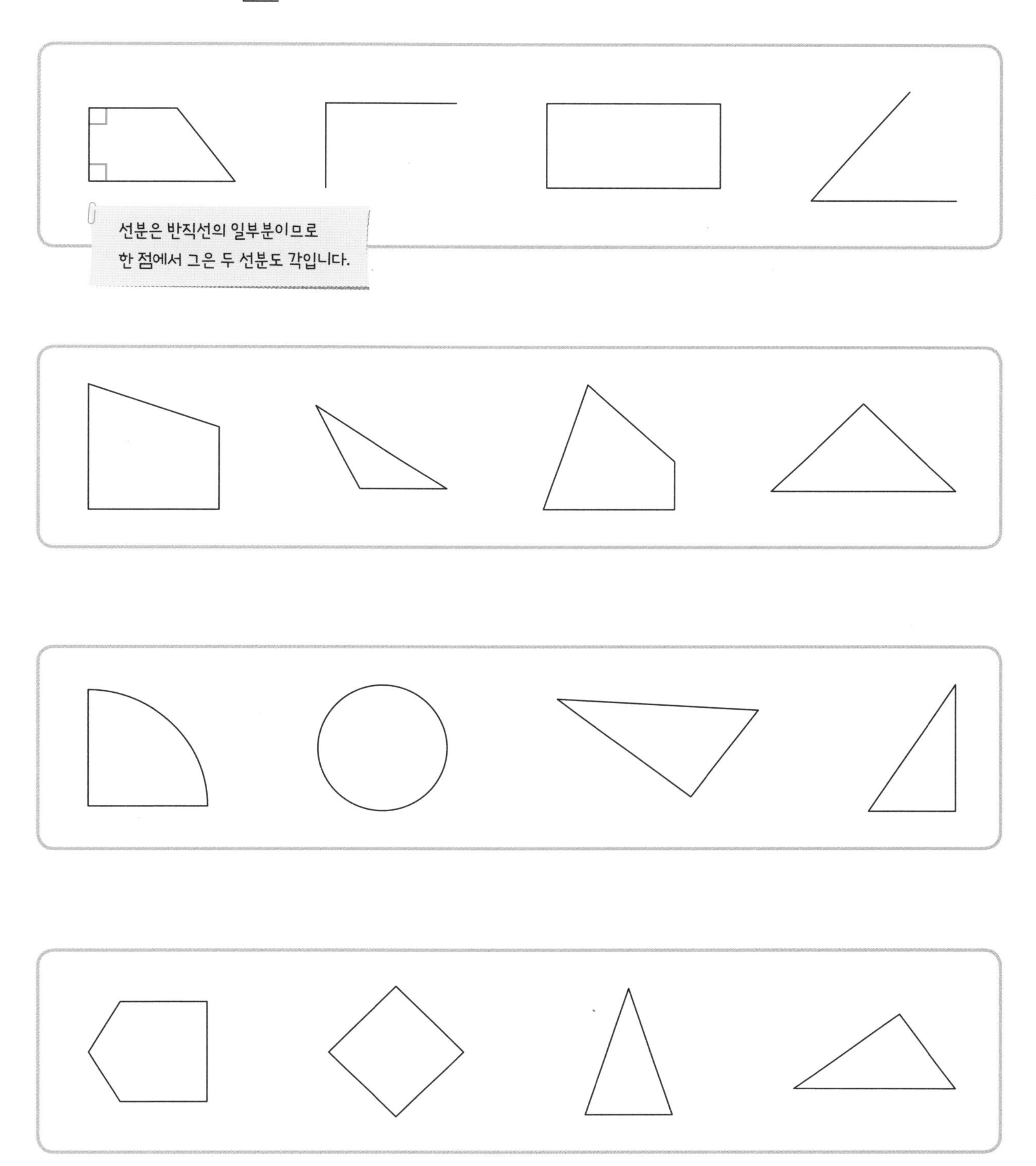
선분은 반직선의 일부분이므로
한 점에서 그은 두 선분도 각입니다.

17일 직각의 개수

1 직각을 찾아 모두 ⌞ 로 표시하고, 직각이 모두 몇 개인지 써 보세요.

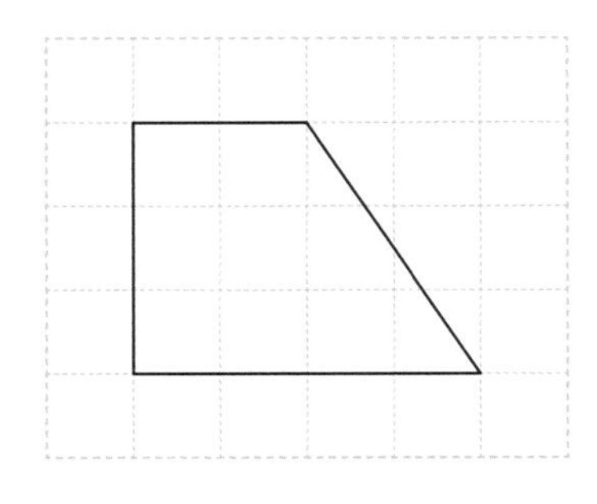

□개

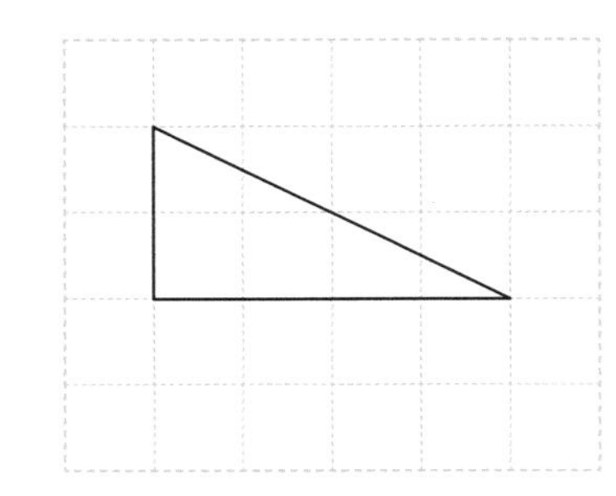

□개

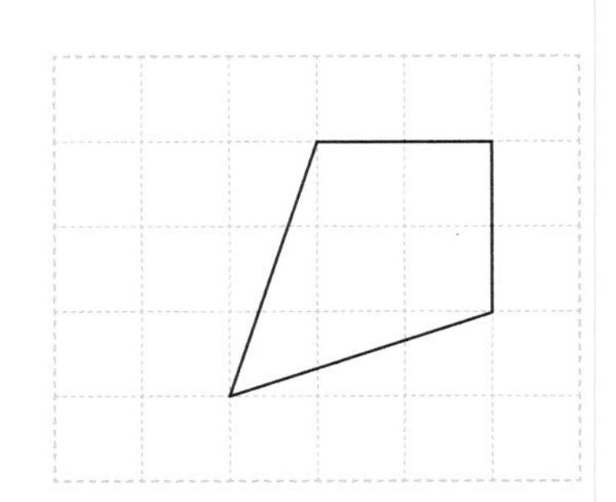

□개

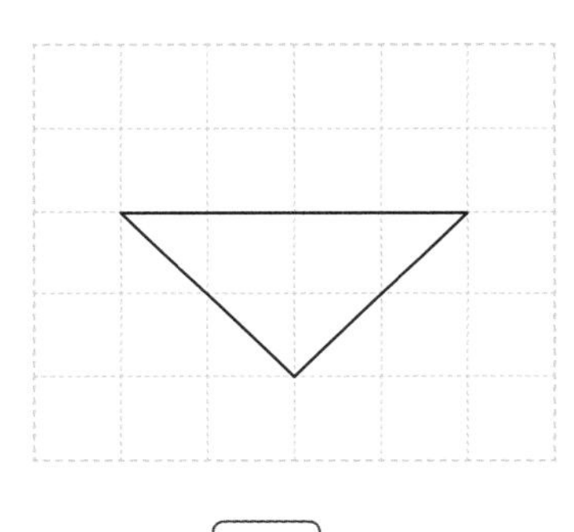

□개

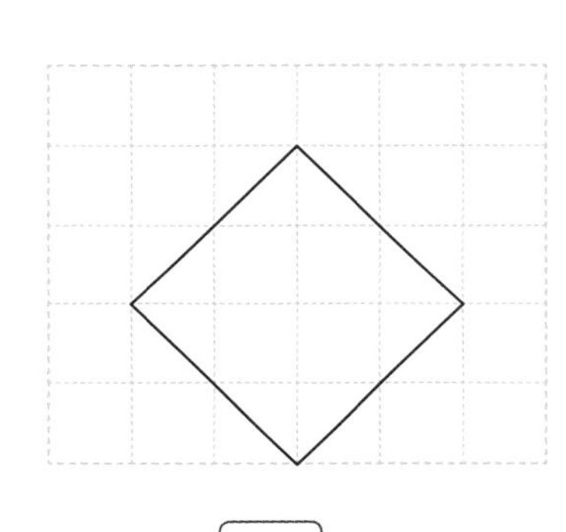

□개

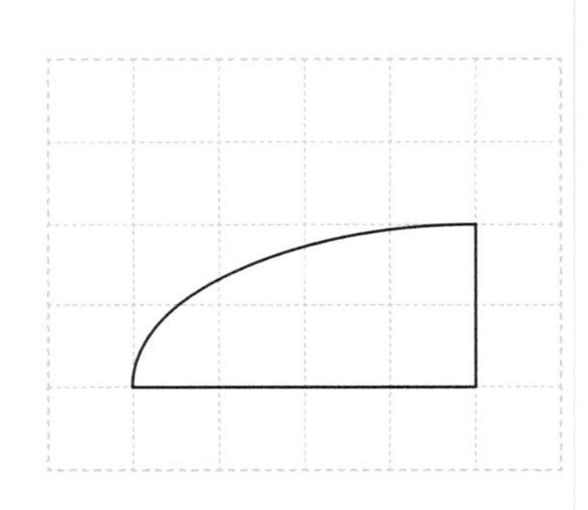

□개

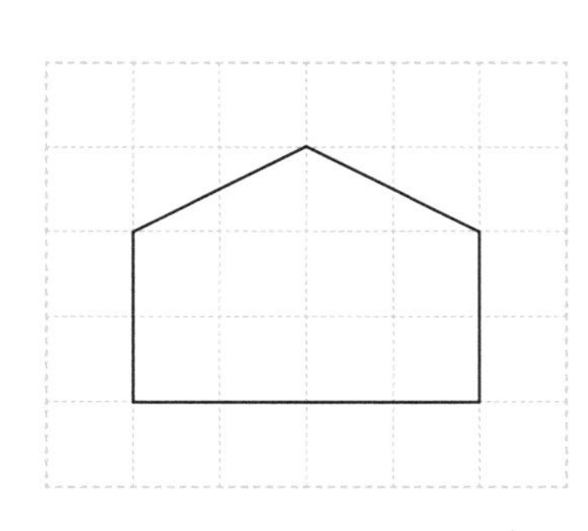

□개

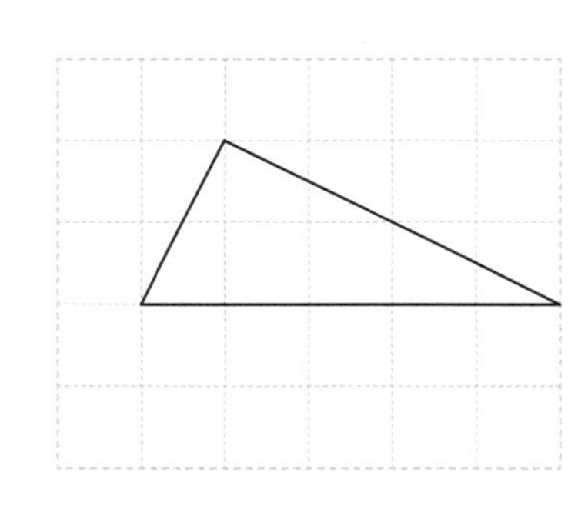

□개

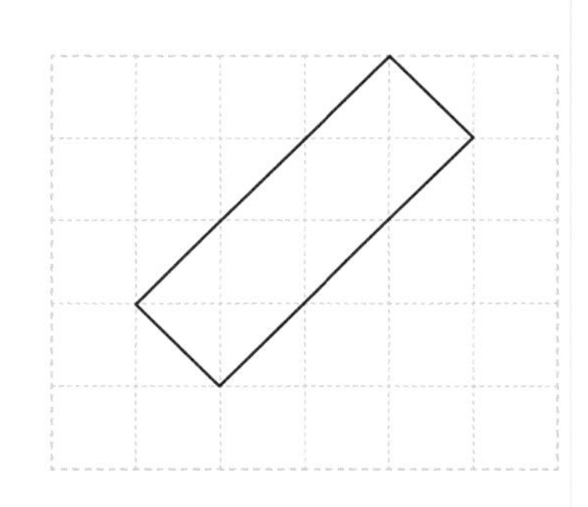

□개

직각이 많은 도형부터 순서대로 기호를 써 보세요.

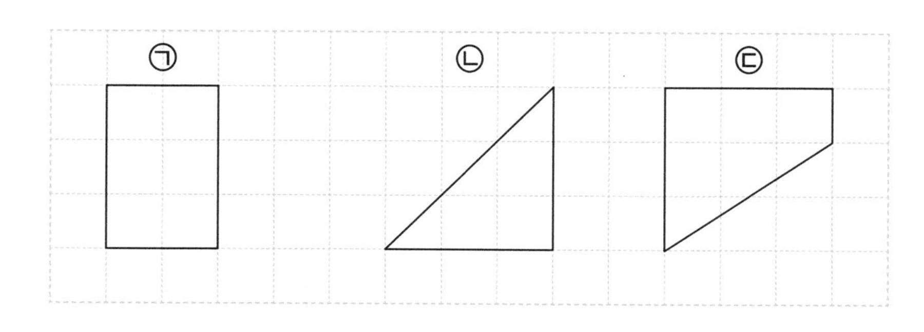

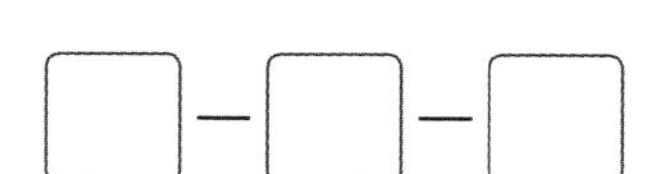

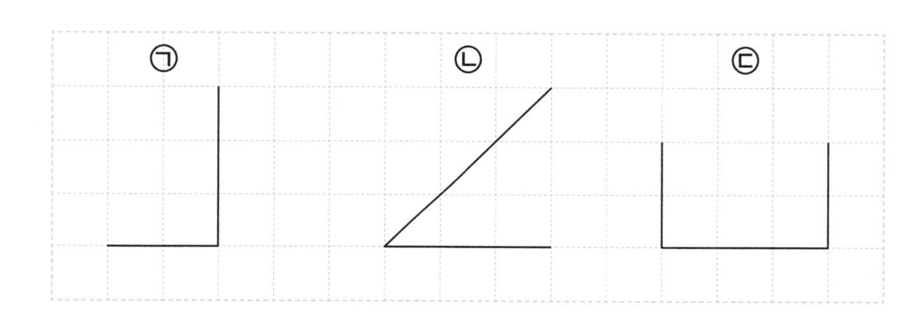

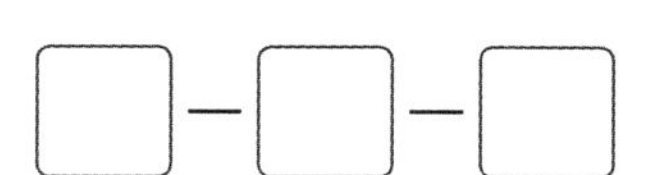

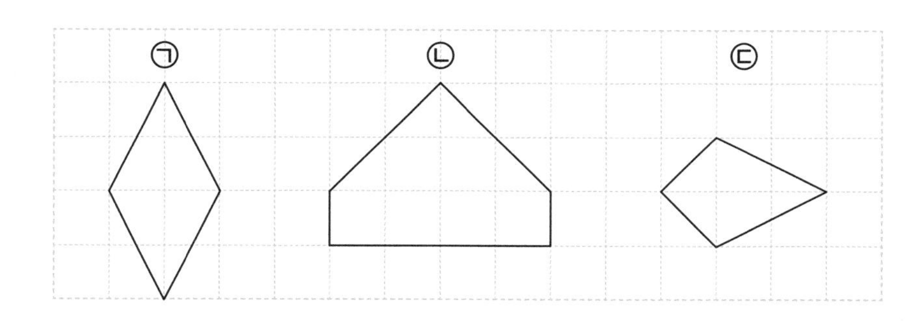

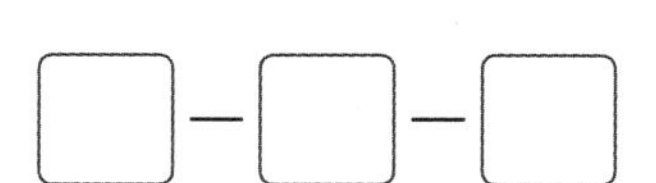

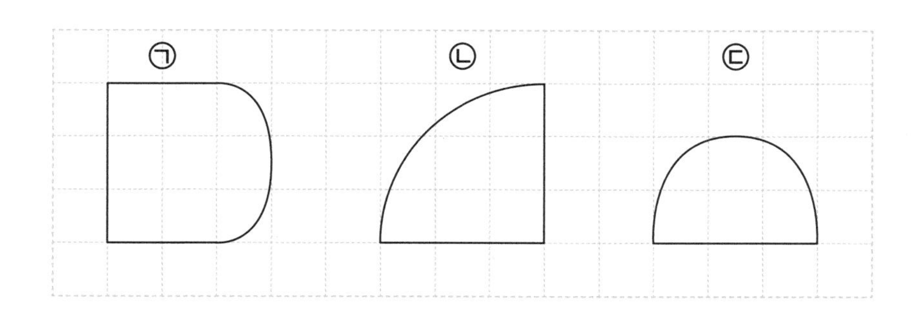

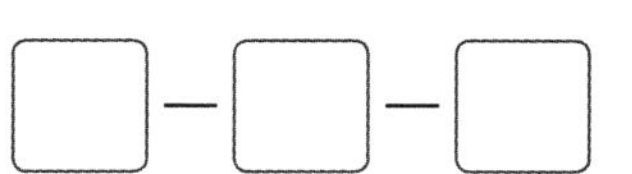

18일 직각 완성하기

직각이 되도록 주어진 점 중 하나를 지나는 반직선을 그어 보세요.

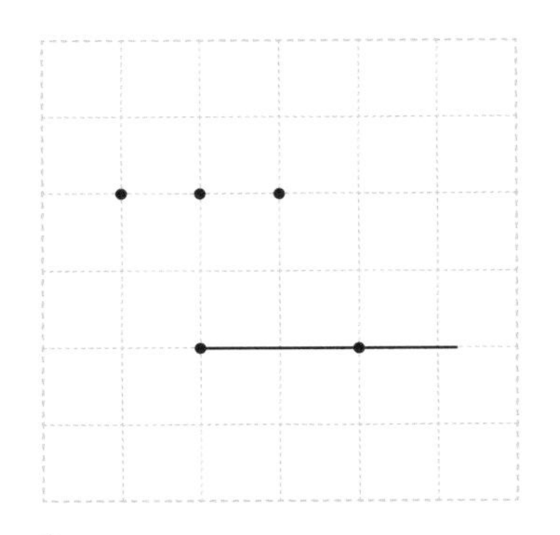

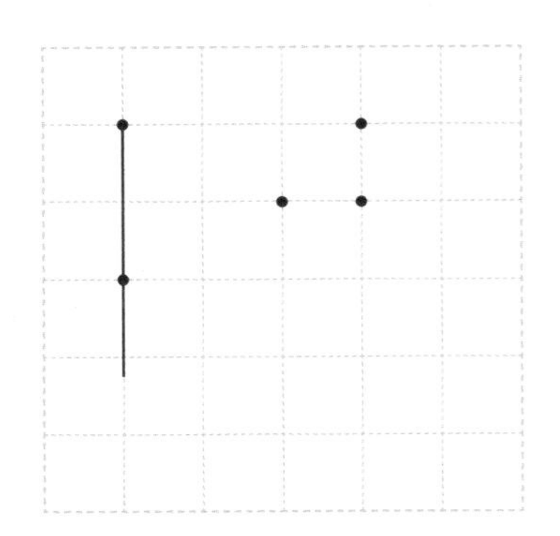

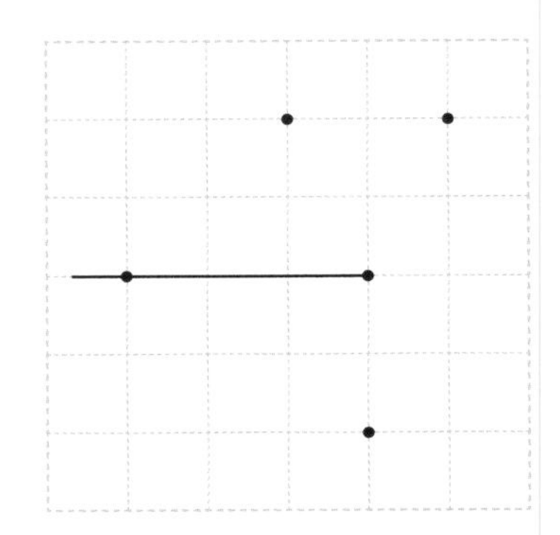

반직선이 시작되는 점을 찾습니다.

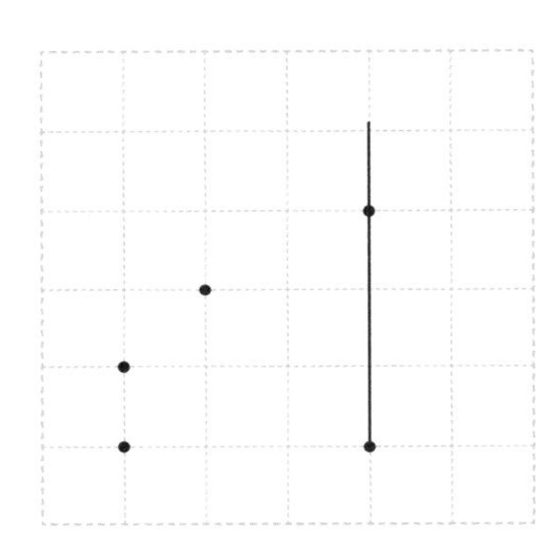

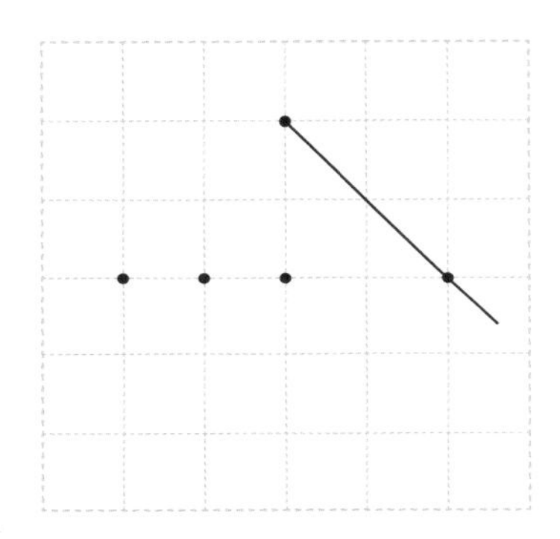

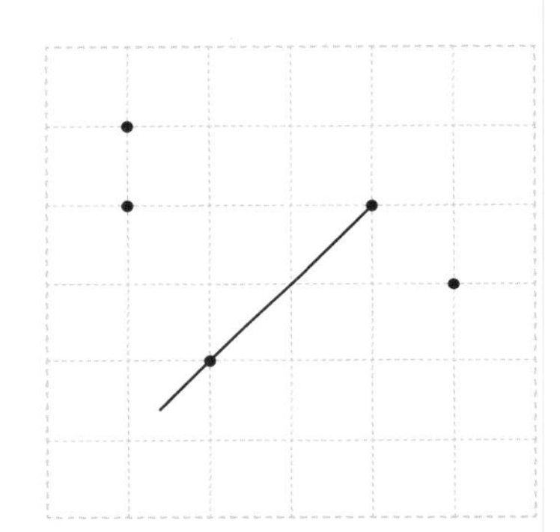

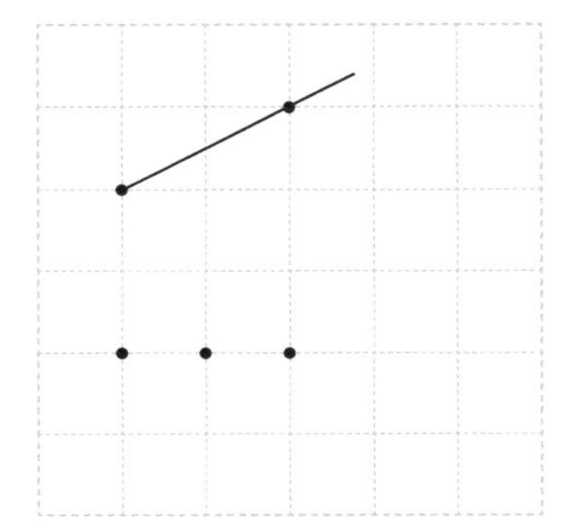

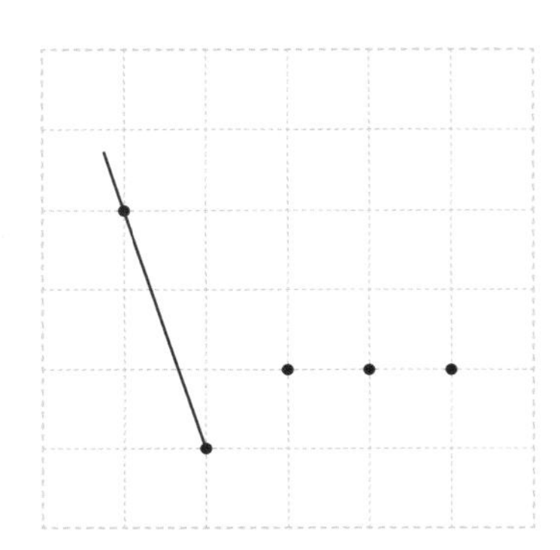

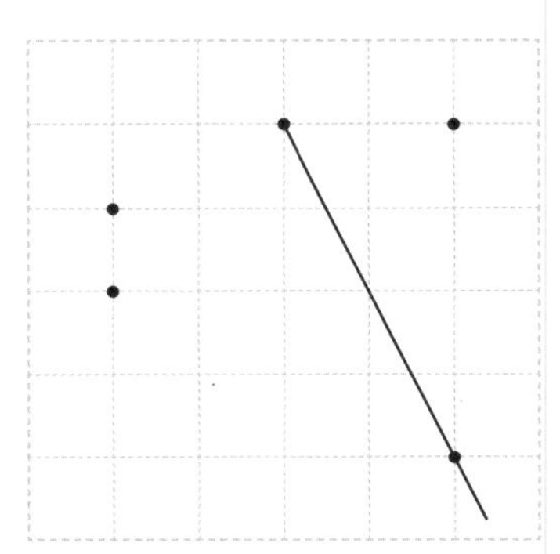

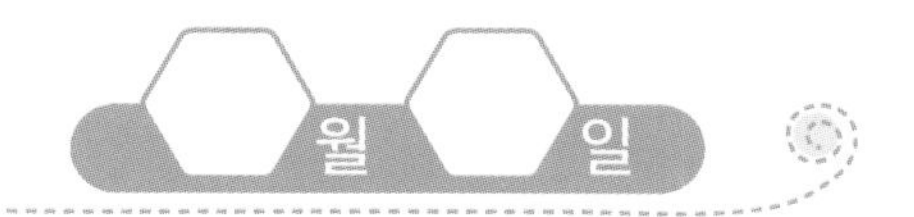

직각을 그리기 위해서 점 ㄱ과 이어야 하는 점을 찾아 써 보세요.

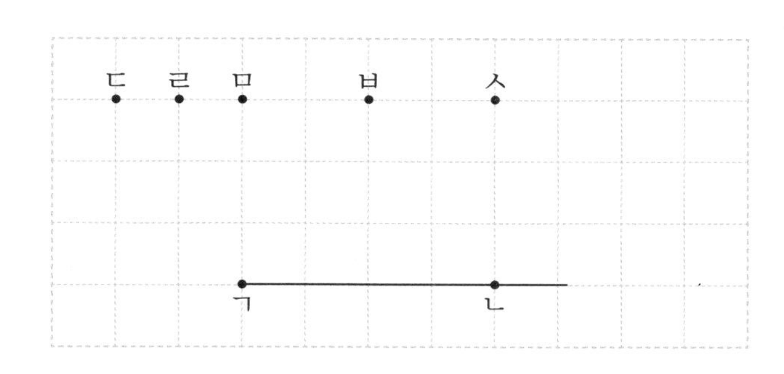

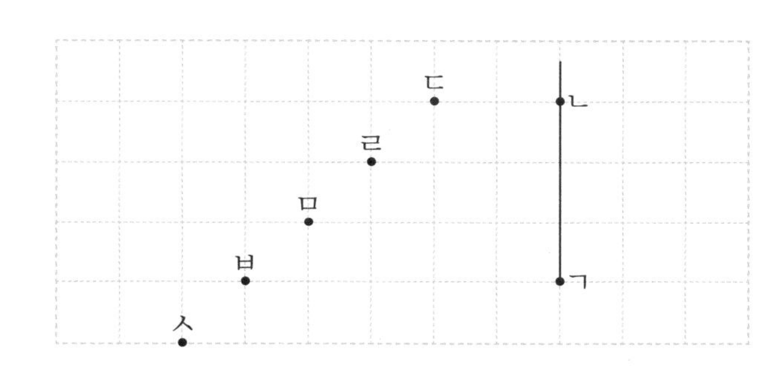

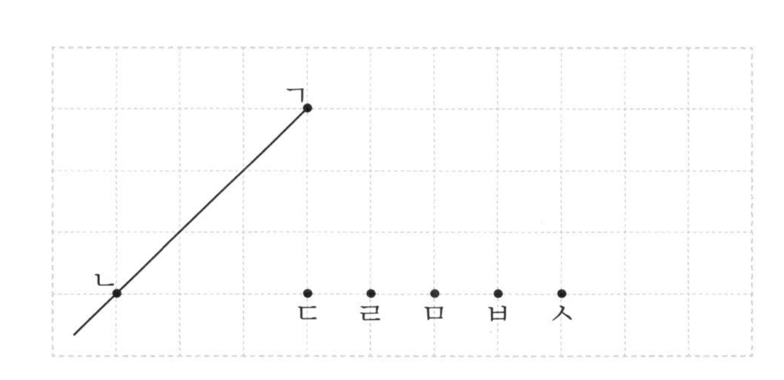

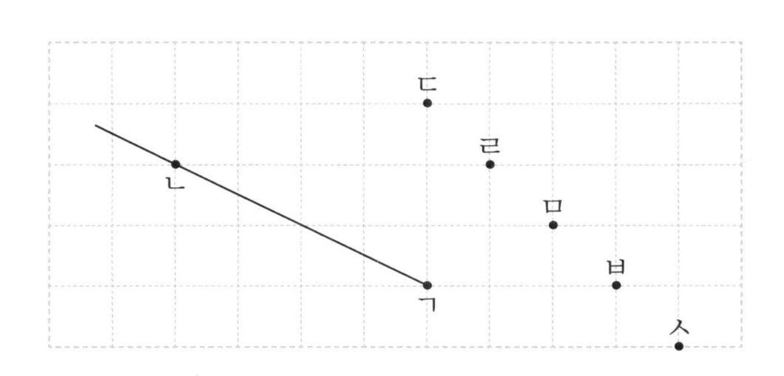

19일 직각 그리기

직각이 되도록 한 점에서 다른 점을 지나는 반직선 2개를 그어 보세요.

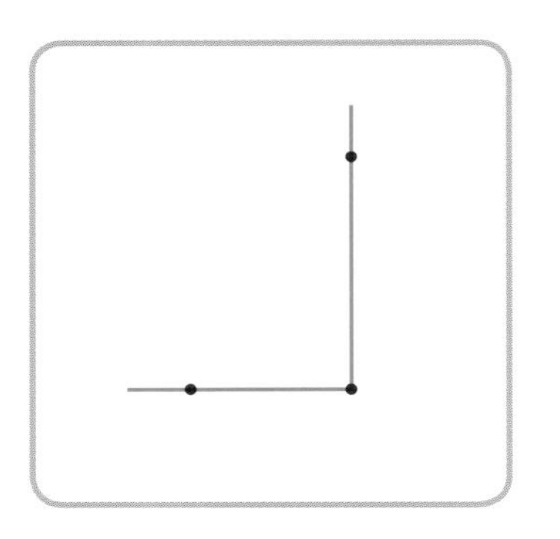
 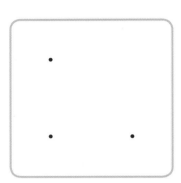
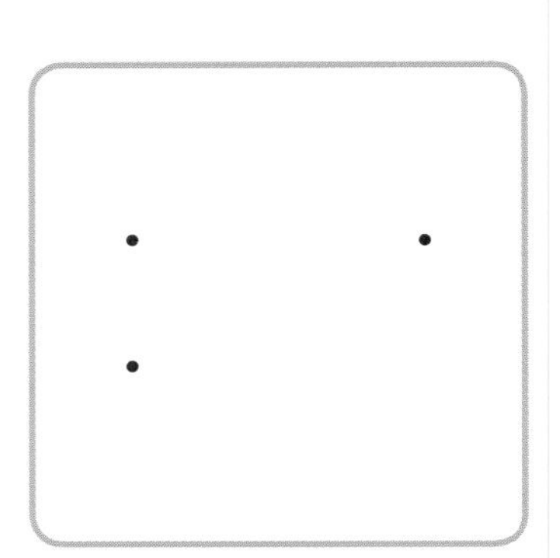

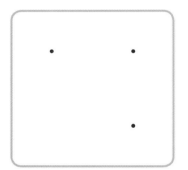

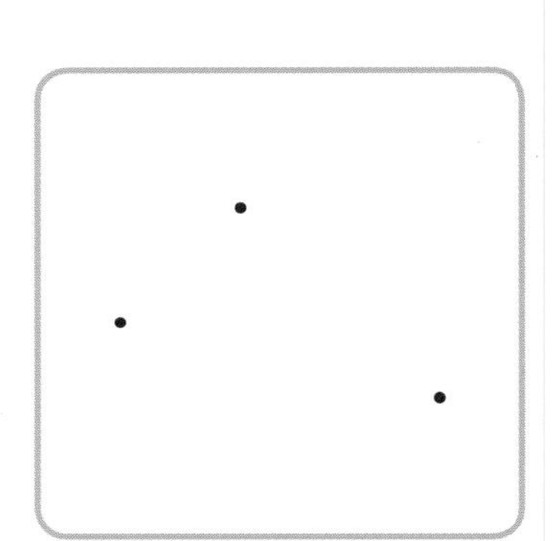

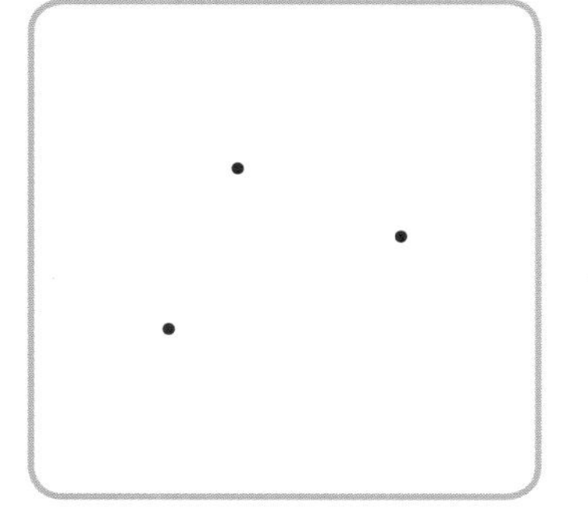
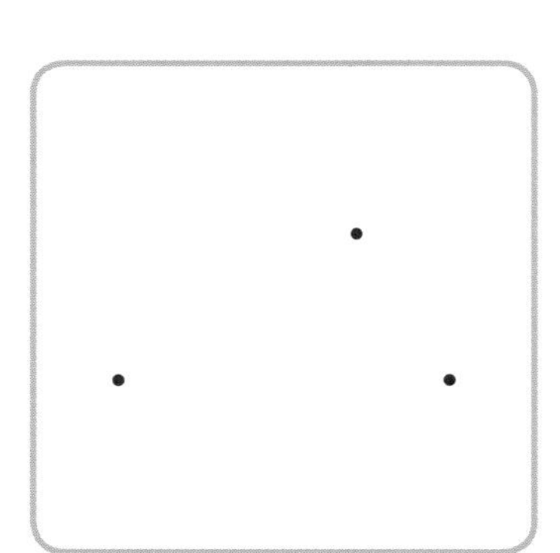

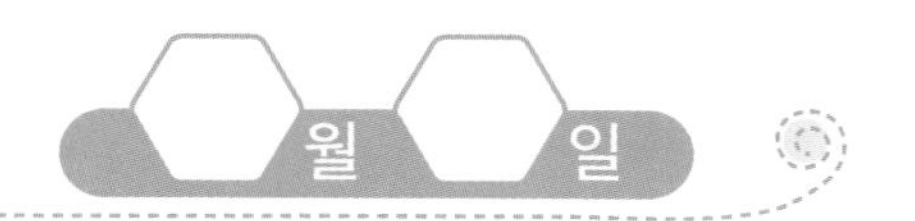

직각이 되도록 한 점에서 다른 점을 지나는 반직선 2개를 그어 보세요.

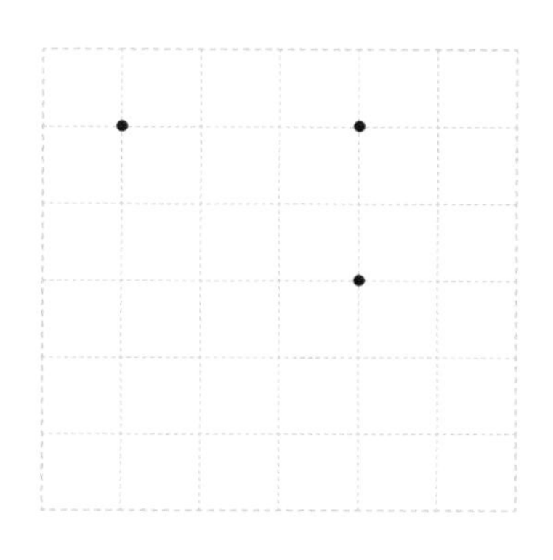
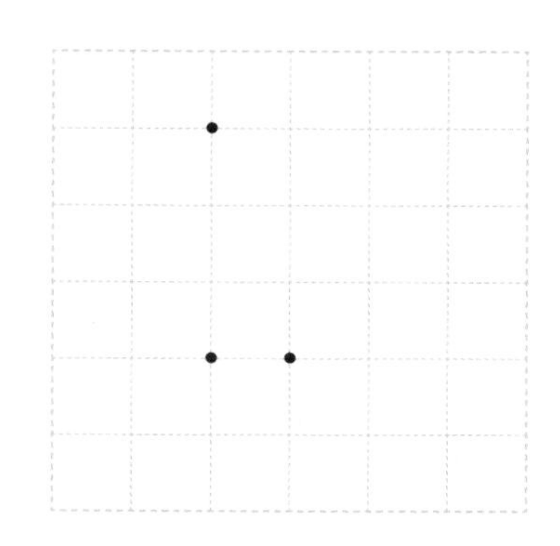
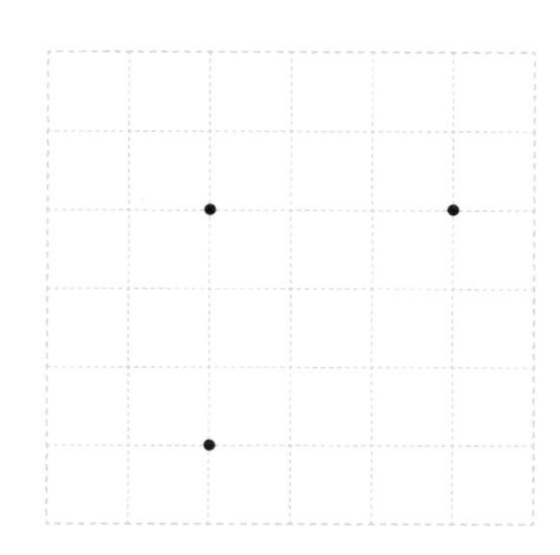

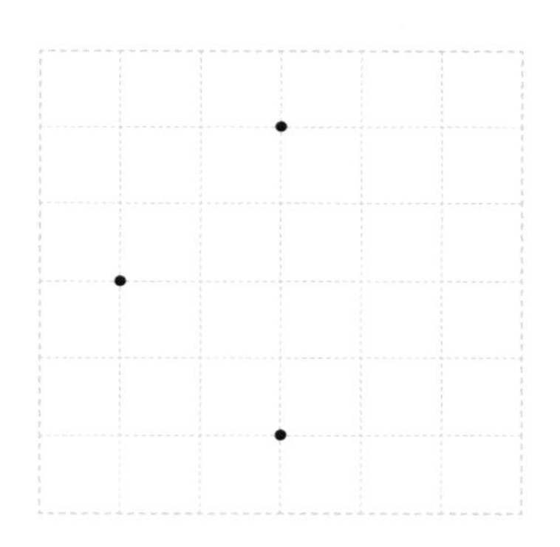
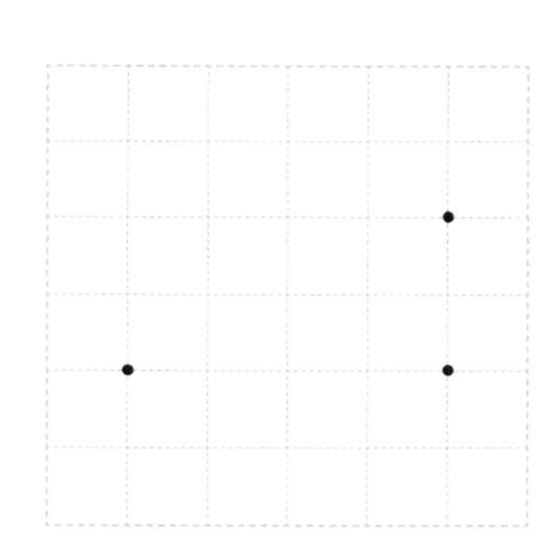
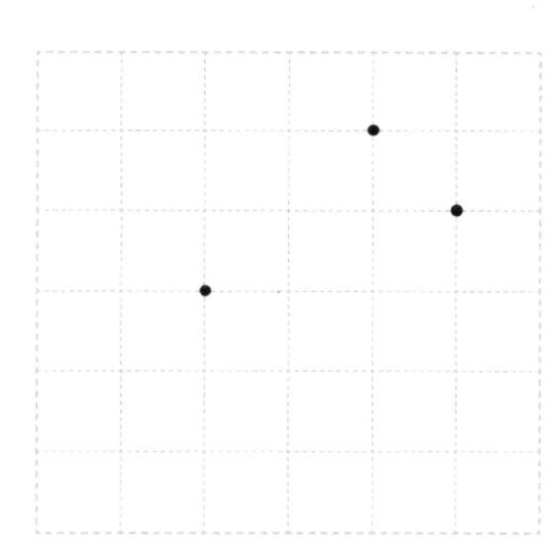

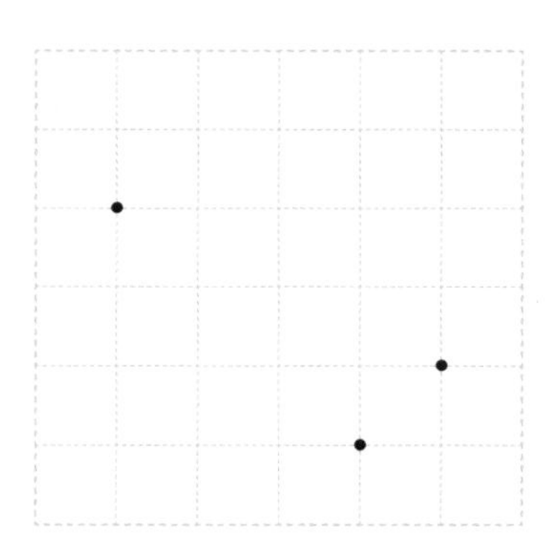
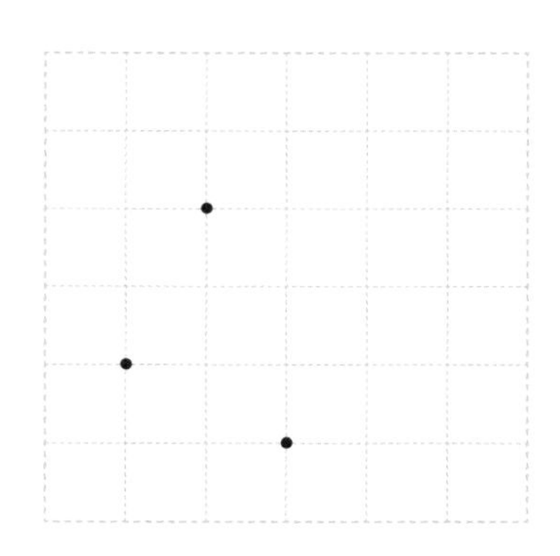
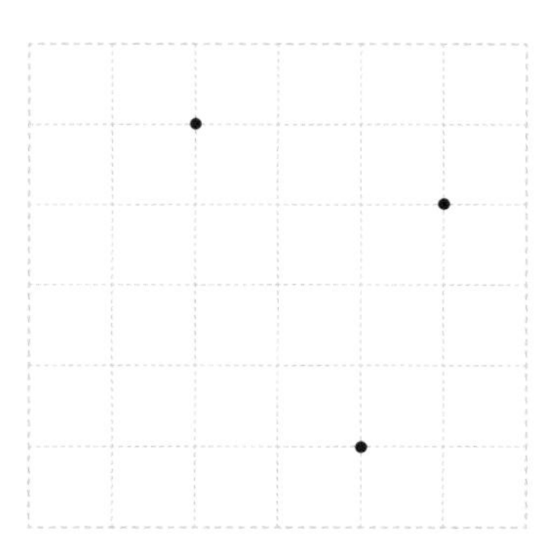

20일 직각 찾기

1. 직각을 찾아 모두 써 보세요.

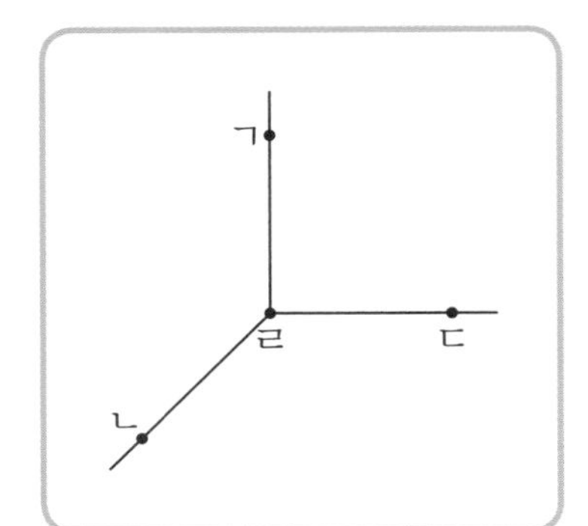

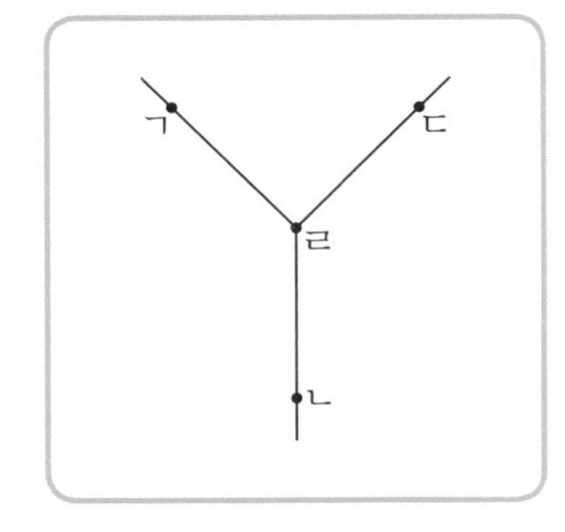

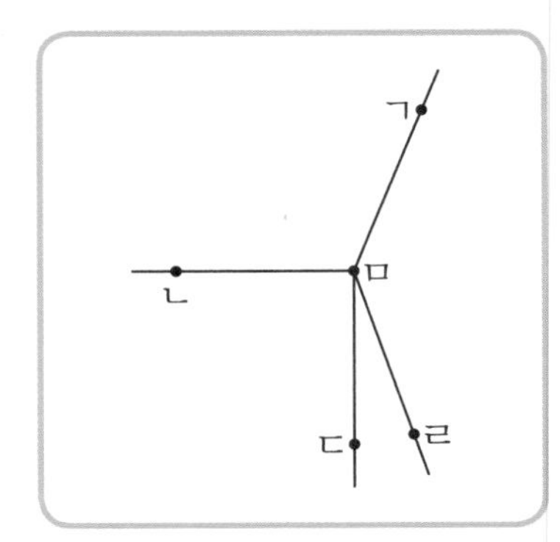

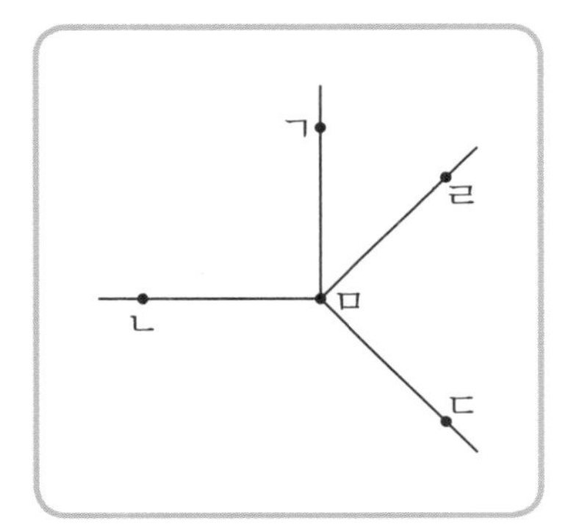

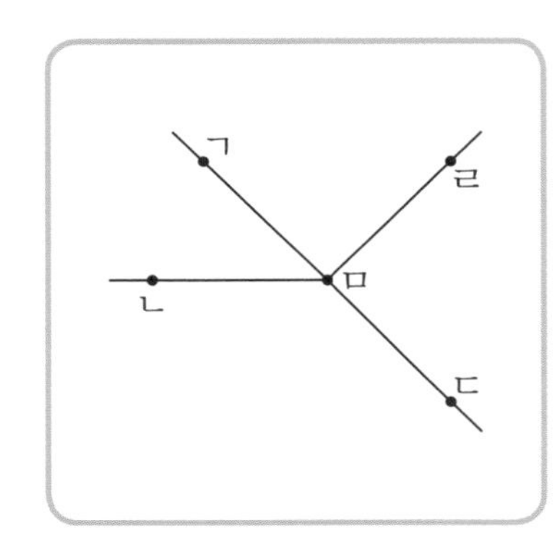

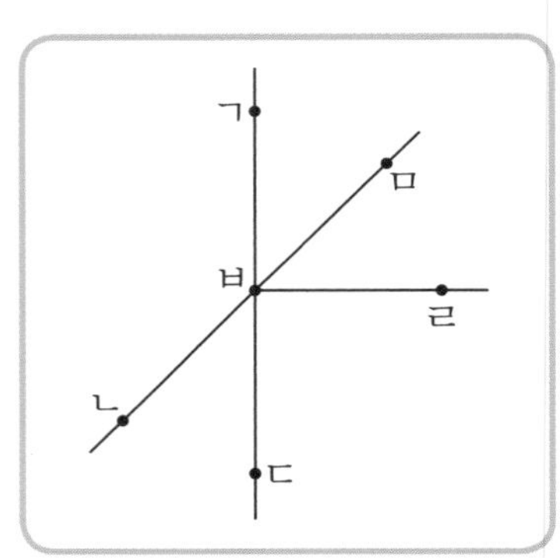

직각을 찾아 모두 써 보세요.

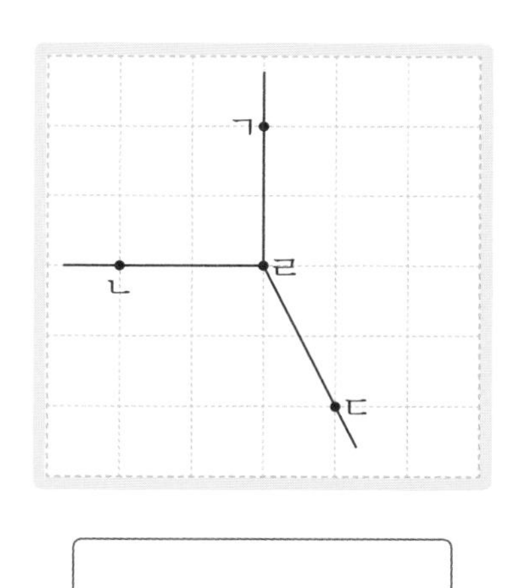

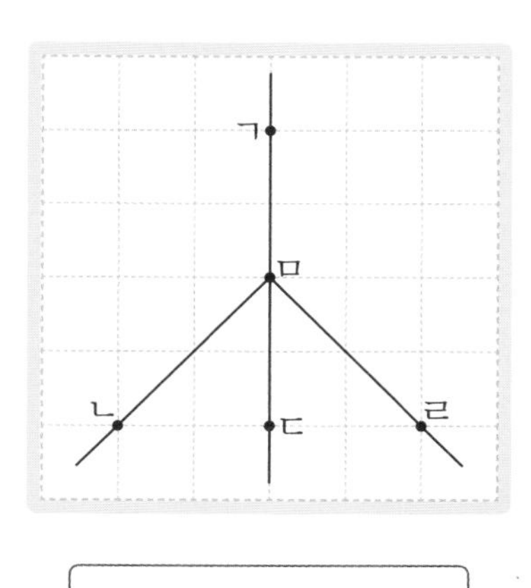

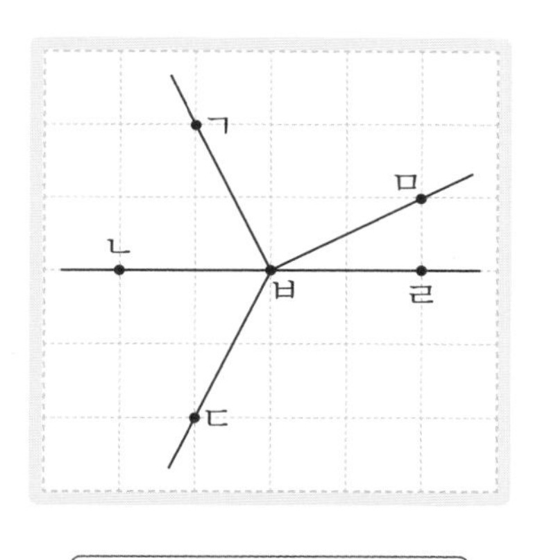

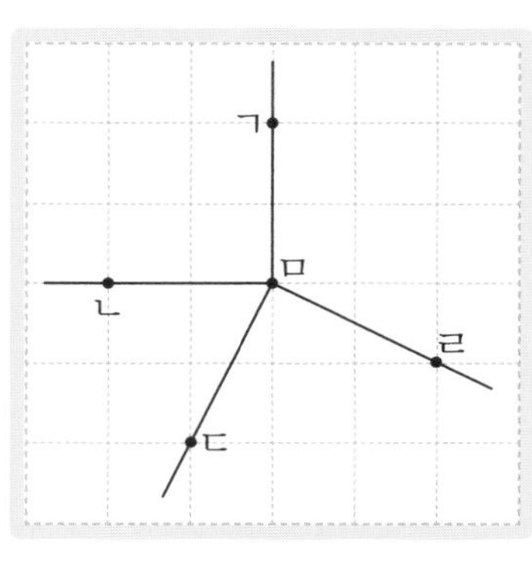

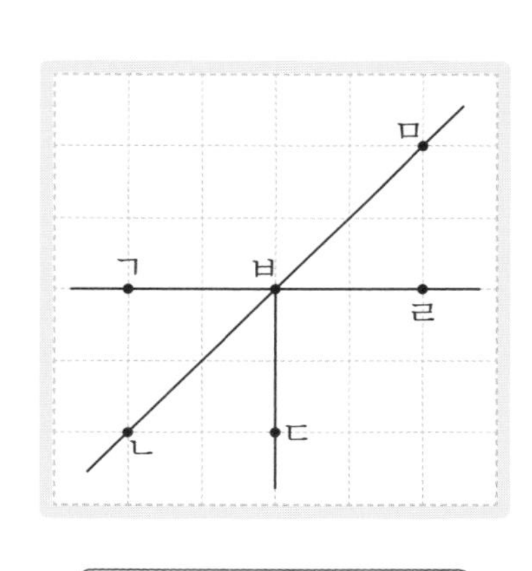

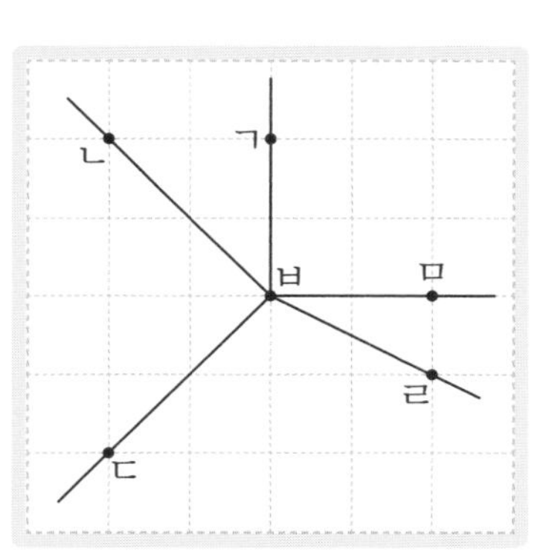

설명하는 시각에 맞게 시계에 긴바늘과 짧은바늘을 그리고, 시각을 써 보세요.

- 5시에서 10시 사이의 시각입니다.
- 긴바늘은 12를 가리킵니다.
- 긴바늘과 짧은바늘이 이루는 각은 직각입니다.

(   )시

- 몇 시 정각을 가리킵니다.
- 1시에서 6시 사이의 시각입니다.
- 긴바늘과 짧은바늘이 이루는 각은 직각입니다.

(   )시

도형 플러스+

- 직각의 개수 -

PLUS 1

글자와 직각

자음 모양에서 직각을 찾아 모두 ⌞ 로 표시하고, 직각의 개수를 써 보세요.

ㄱ □개

ㄴ □개

ㄷ □개

ㄹ □개

ㅁ □개

ㅂ □개

ㅅ □개

ㅇ □개

ㅈ □개

ㅊ □개

ㅋ □개

ㅌ □개

ㅍ □개

ㅎ □개

직각이 가장 많은 알파벳 모양에 ◯표, 직각이 가장 적은 알파벳 모양에 △표 하세요.

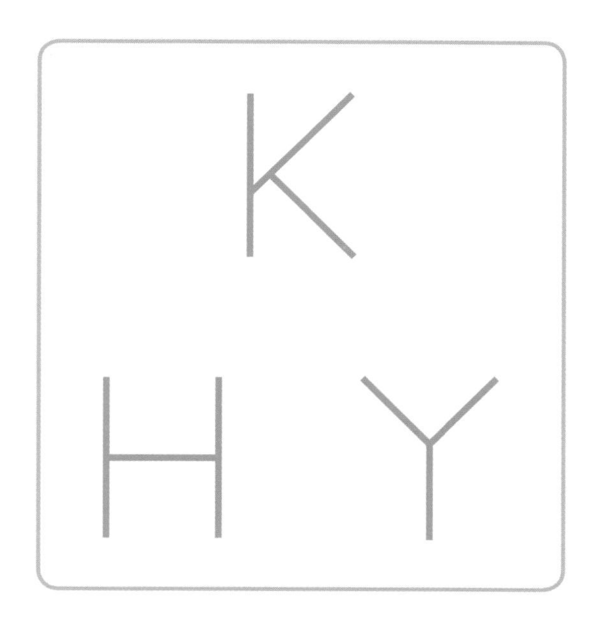

삼각자와 직각

삼각자 2개를 붙였습니다. 직각을 찾아 모두 ⌞ 로 표시하고, 직각의 개수를 써 보세요.

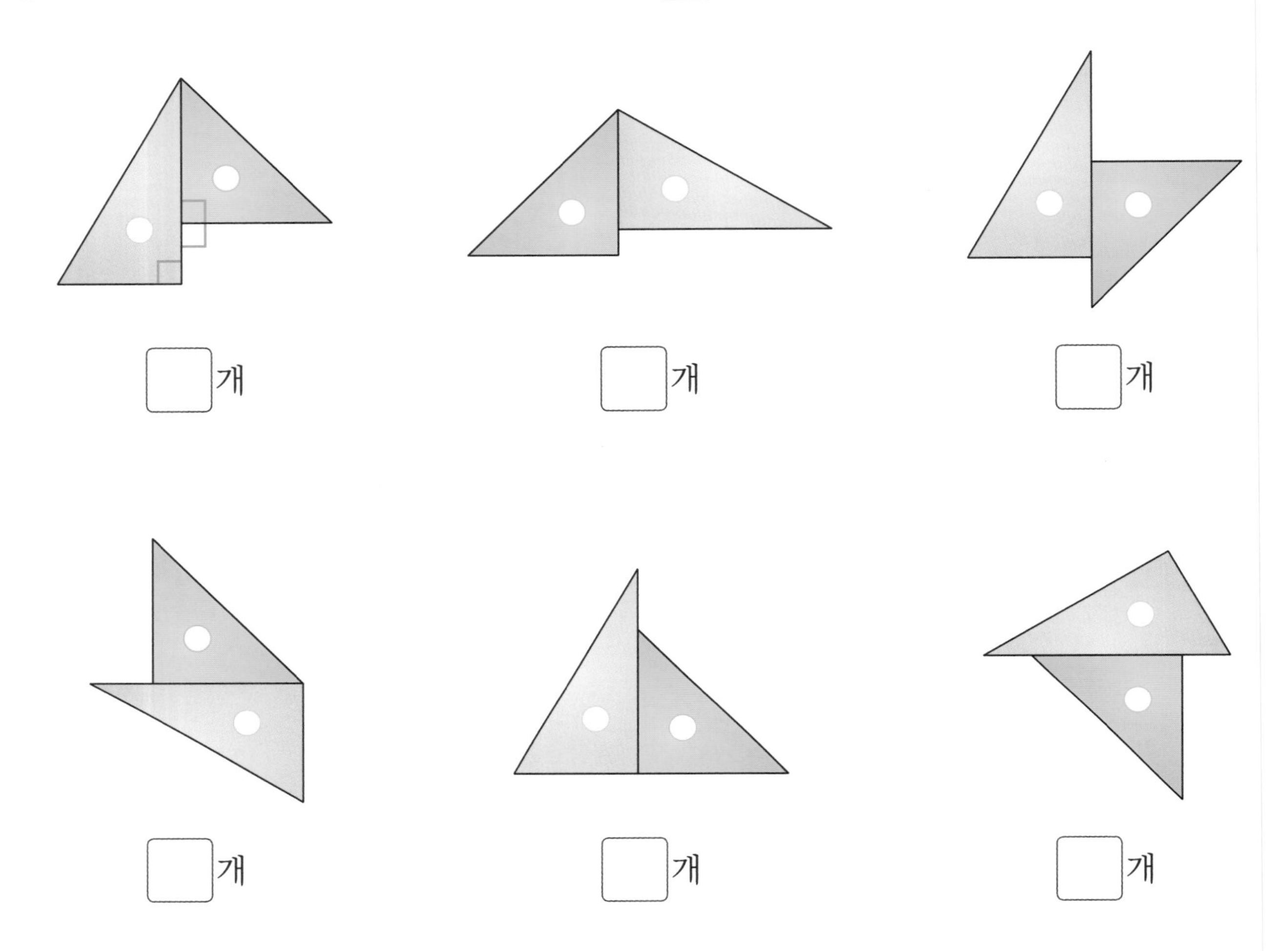

삼각자와 직각

삼각자는 다음과 같이 두 가지가 있고,
각 삼각자에서 직각을 찾을 수 있습니다.

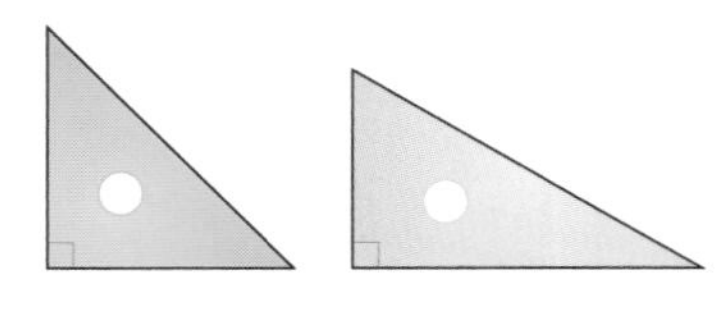

삼각자 2개를 붙인 모양에서 찾을 수 있는
직각은 3개입니다.

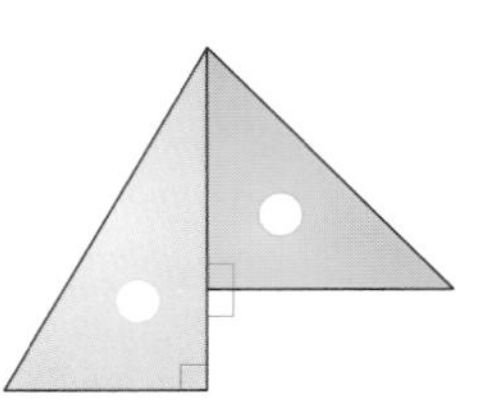

모양이 같은 삼각자 여러 개를 붙였습니다. 직각의 개수를 세어 보세요.

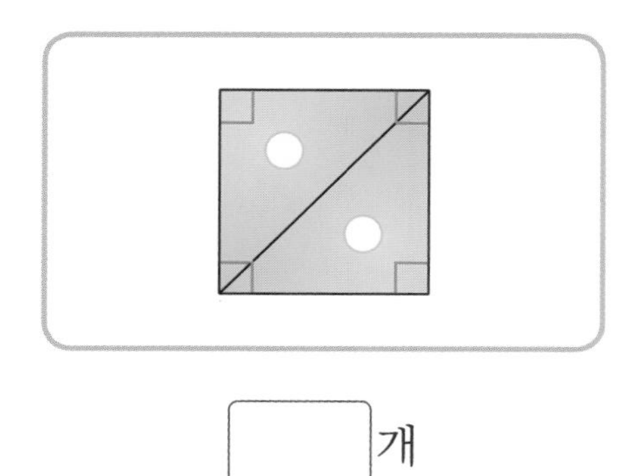

개

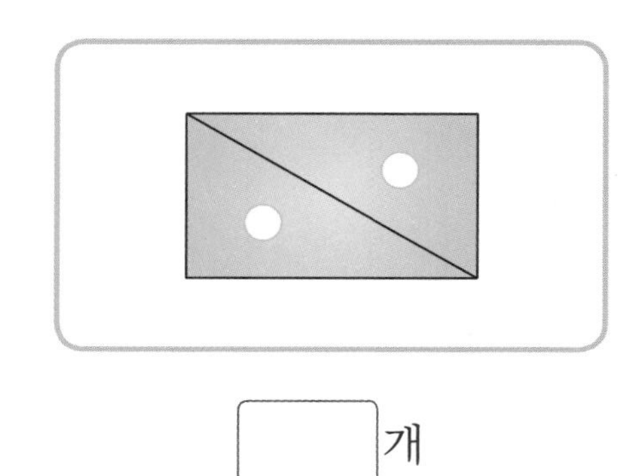

개

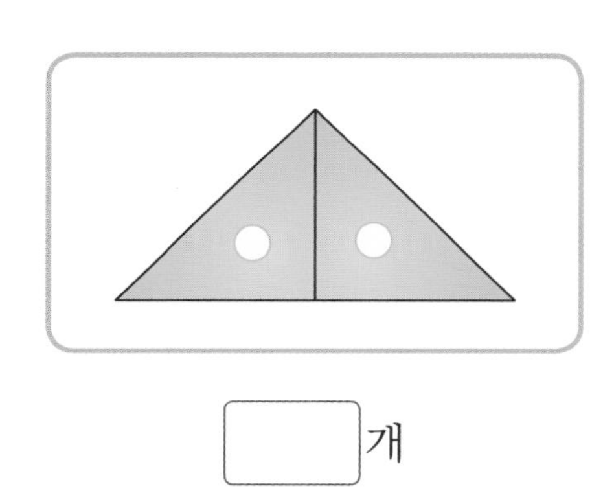

개

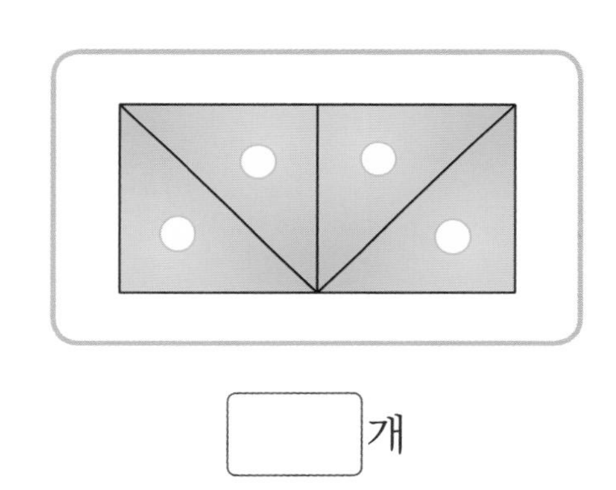

개

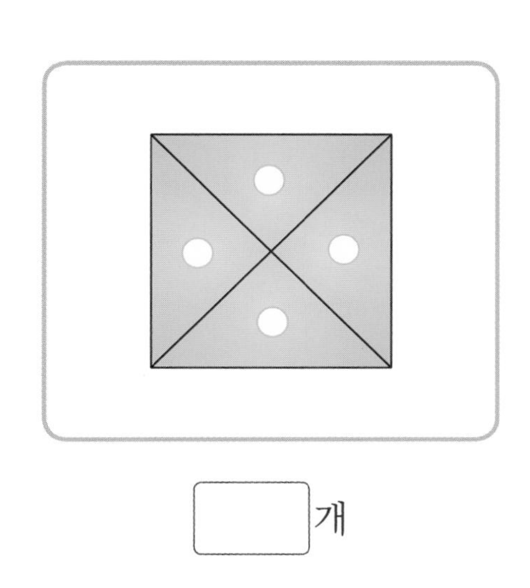

개

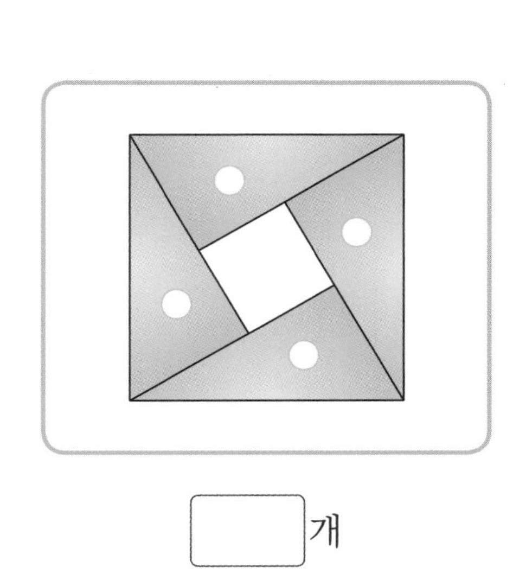

개

PLUS 3 도형에서 직각 찾기

직각의 개수를 세어 보세요.

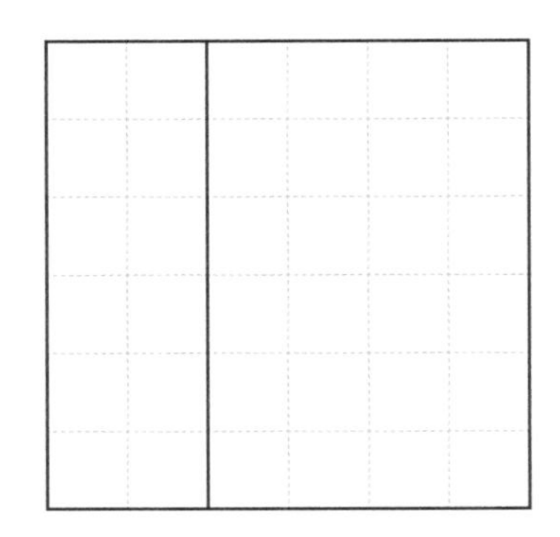

개

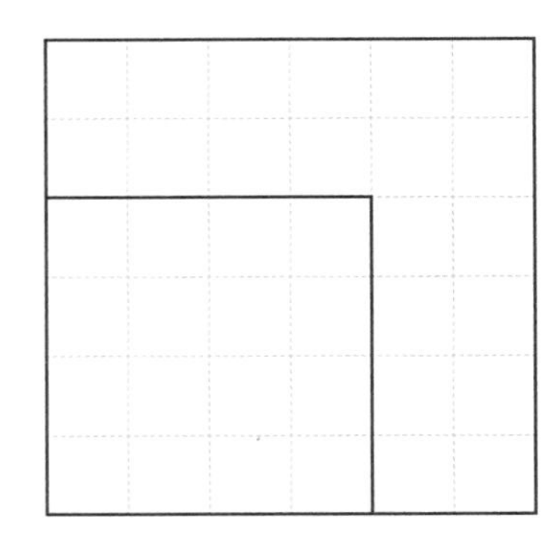

개

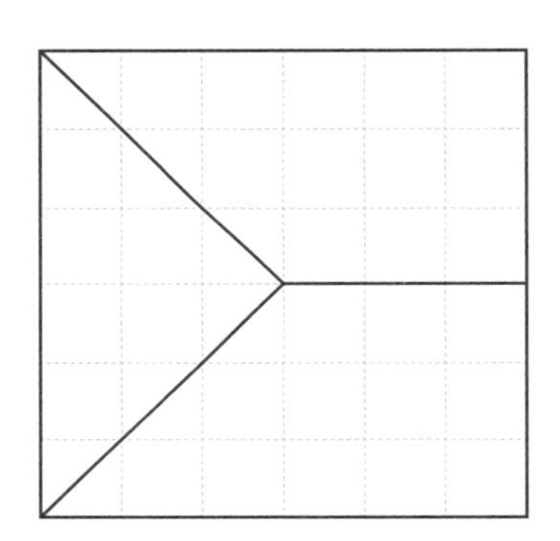

개

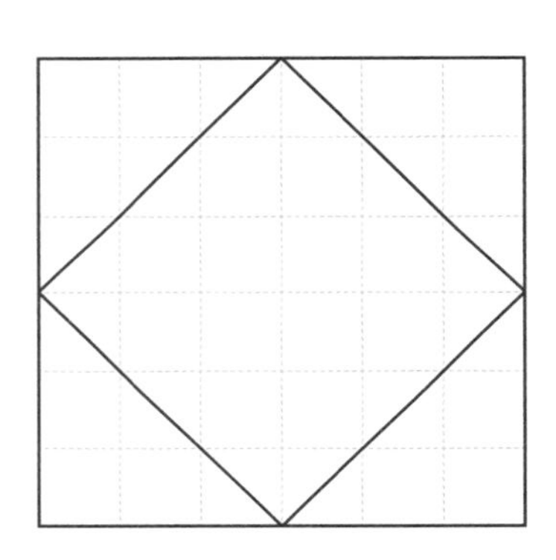

개

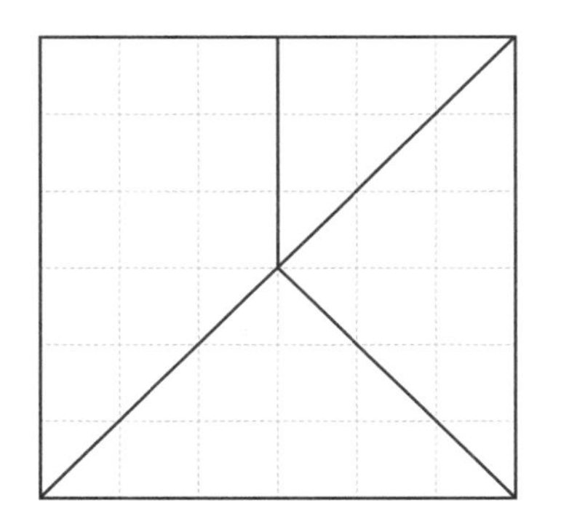

개

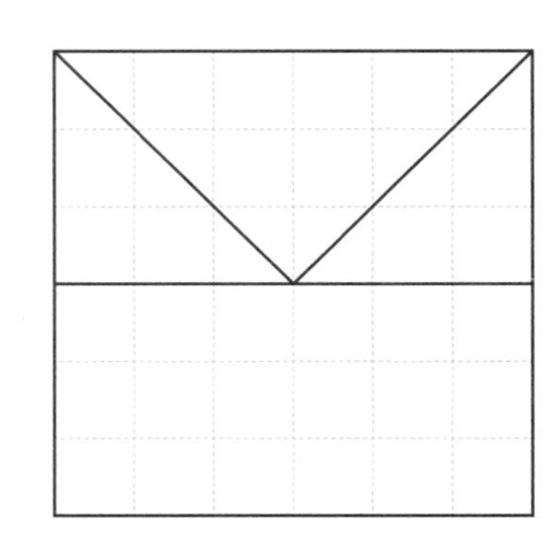

개

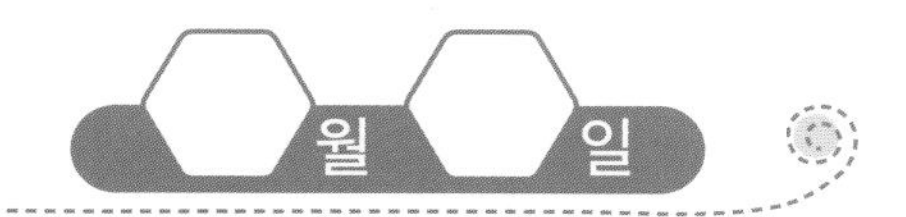

직각의 개수를 세어 보세요.

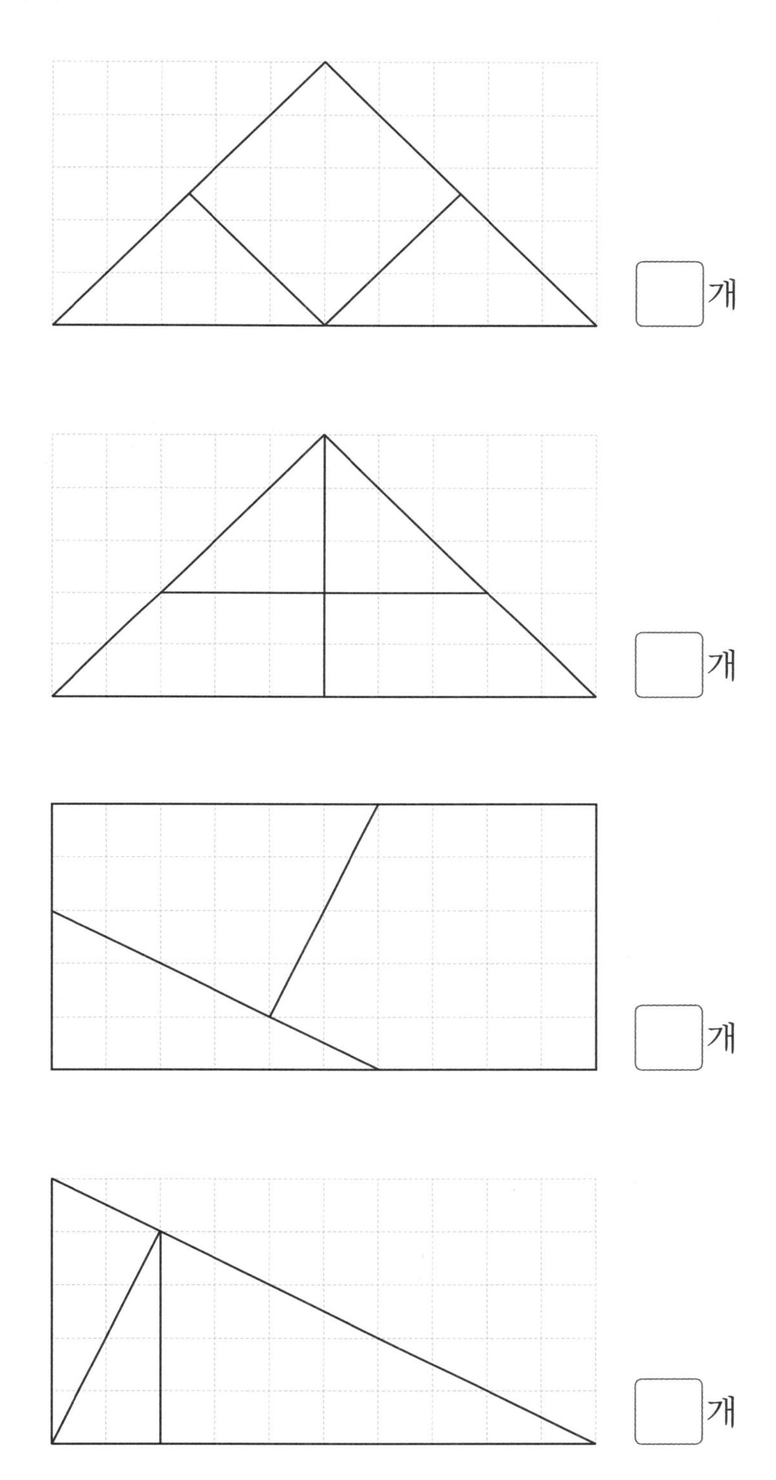

개

개

개

개

memo

형성평가

형성평가 1회

1 선분은 모두 몇 개일까요?

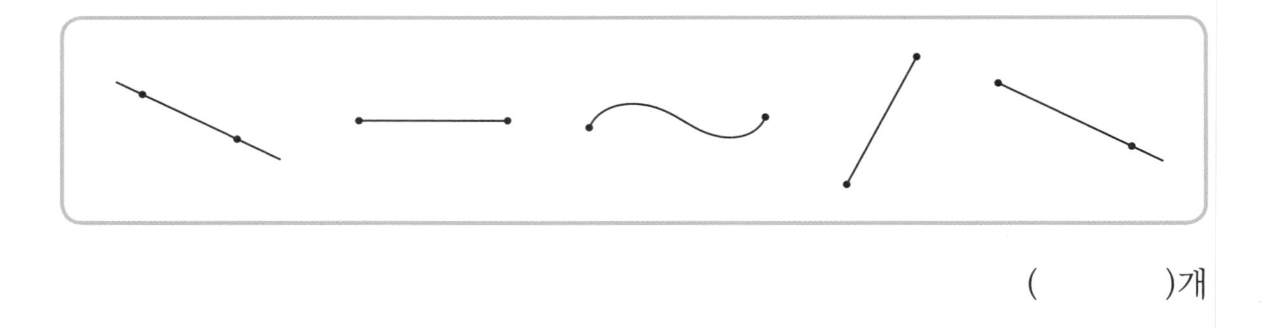

(　　　)개

2 각, 각의 꼭짓점, 각의 변을 써 보세요.

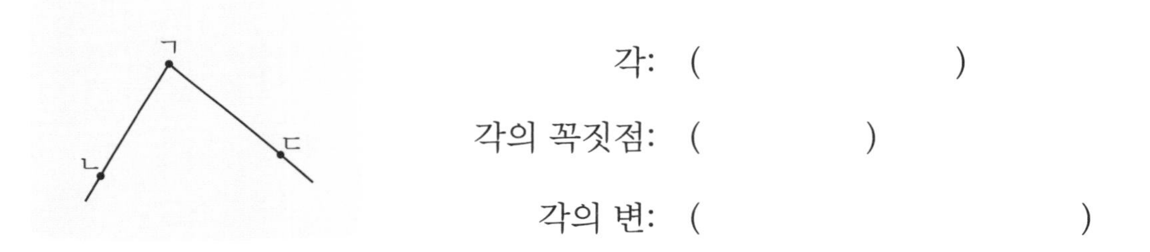

각: (　　　　　　　)

각의 꼭짓점: (　　　　)

각의 변: (　　　　　　　　　)

3 직각을 찾아 모두 ∟로 표시해 보세요.

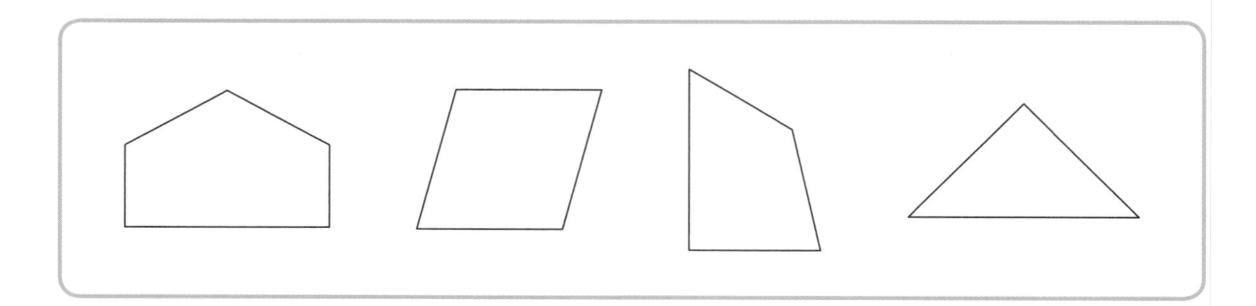

4 바르게 설명한 것의 기호를 써 보세요.

㉠ 반직선은 양쪽 끝이 없습니다.
㉡ 선분은 양쪽 방향으로 끝없이 늘어납니다.
㉢ 선분은 끝이 있고, 직선은 끝이 없습니다.

(　　　)

5 주어진 선을 모두 그어 보세요.

반직선 ㄴㄱ

선분 ㄹㅁ

직선 ㅂㄷ

ㄱ ㄴ ㄷ

ㄹ ㅁ ㅂ

6 직각을 찾아 써 보세요.

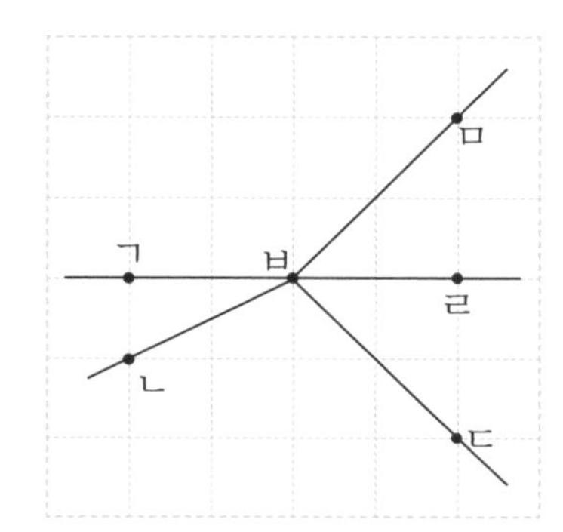

(　　　　　)

형성평가 2회

1 도형의 이름을 써 보세요.

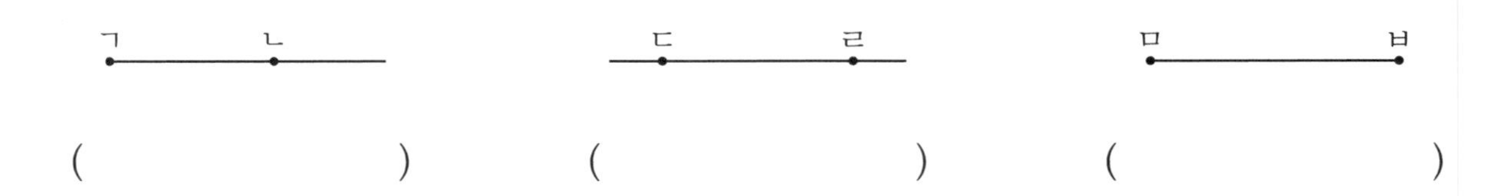

( ) ( ) ( )

2 각을 그려 보세요.

각 ㄱㄴㄷ 각 ㄴㄱㄷ 각 ㄱㄷㄴ

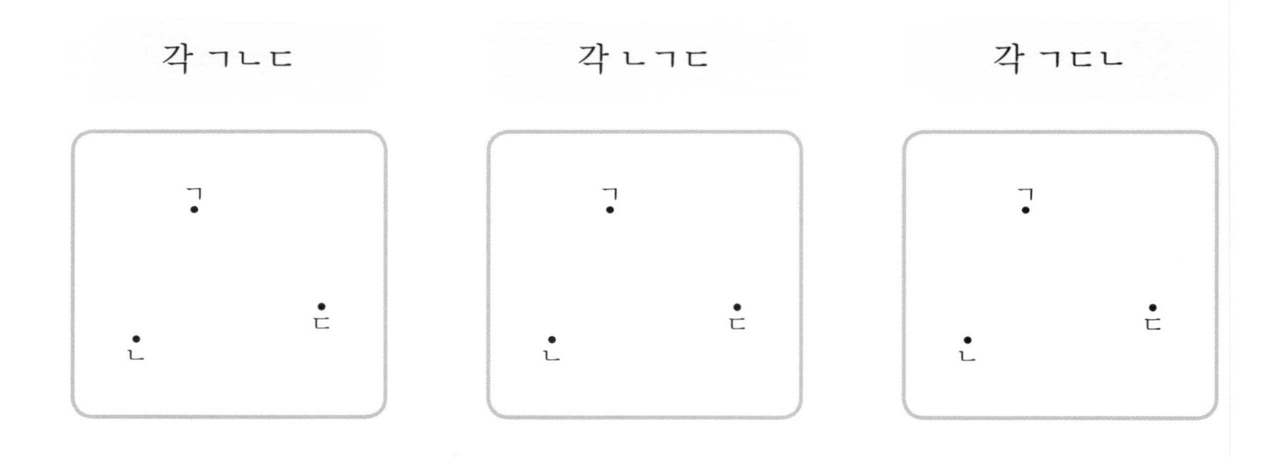

3 바르게 설명한 것에 ○표, 잘못 설명한 것에 ×표 하세요.

각 ㄱㄴㄷ은 각 ㄷㄴㄱ이라고도 읽습니다. ………… ( )

각에서 두 반직선이 만나는 점을 각의 변이라고 합니다. ………… ( )

4 직각이 되도록 한 점에서 시작하여 다른 점을 지나는 반직선 2개를 그어 보세요.

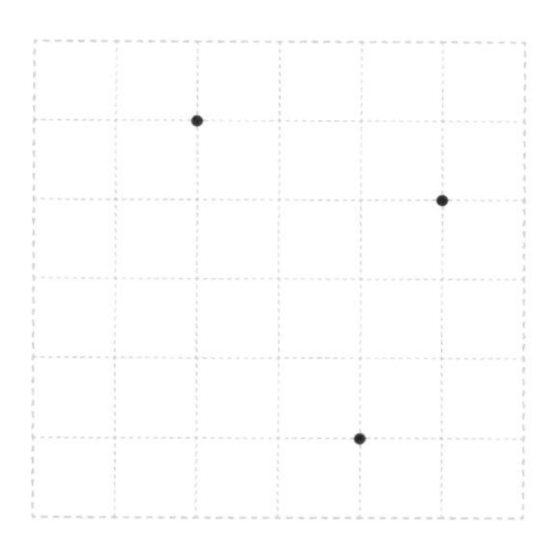

5 직각은 모두 몇 개일까요?

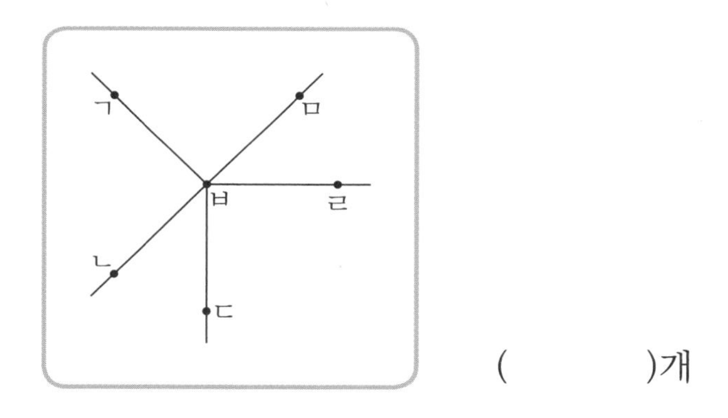

( )개

6 세 점 중 두 점을 이어 그을 수 있는 선분은 모두 몇 개일까요?

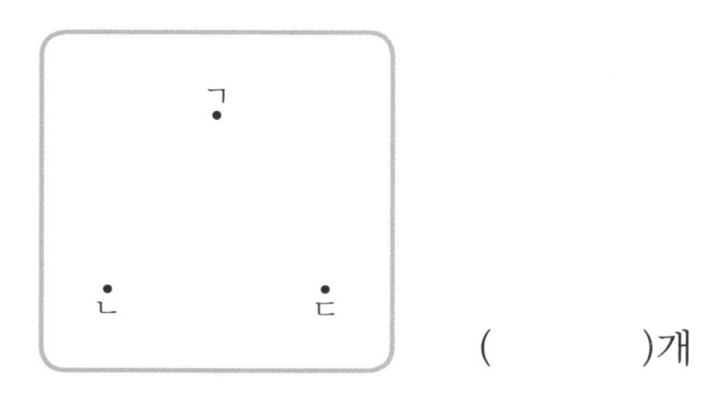

( )개

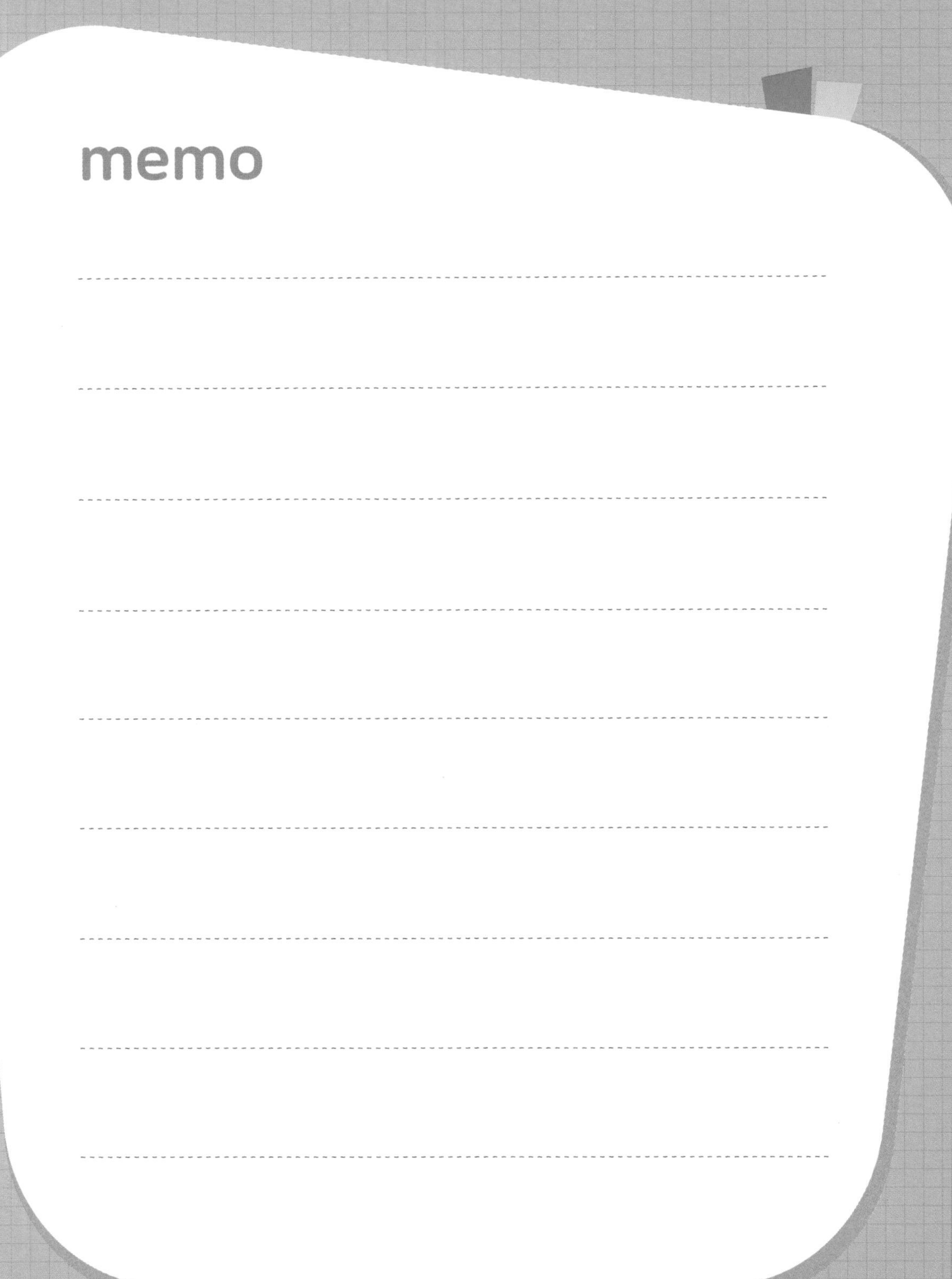
memo

하루 한 장 60일 집중 완성

교과도형

초3

C1

선과 각

정 답

C1

선과 각

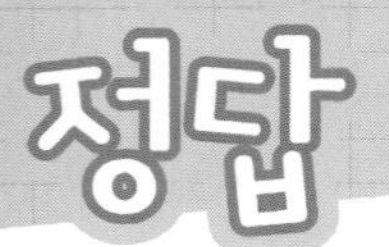

1주차 선의 종류

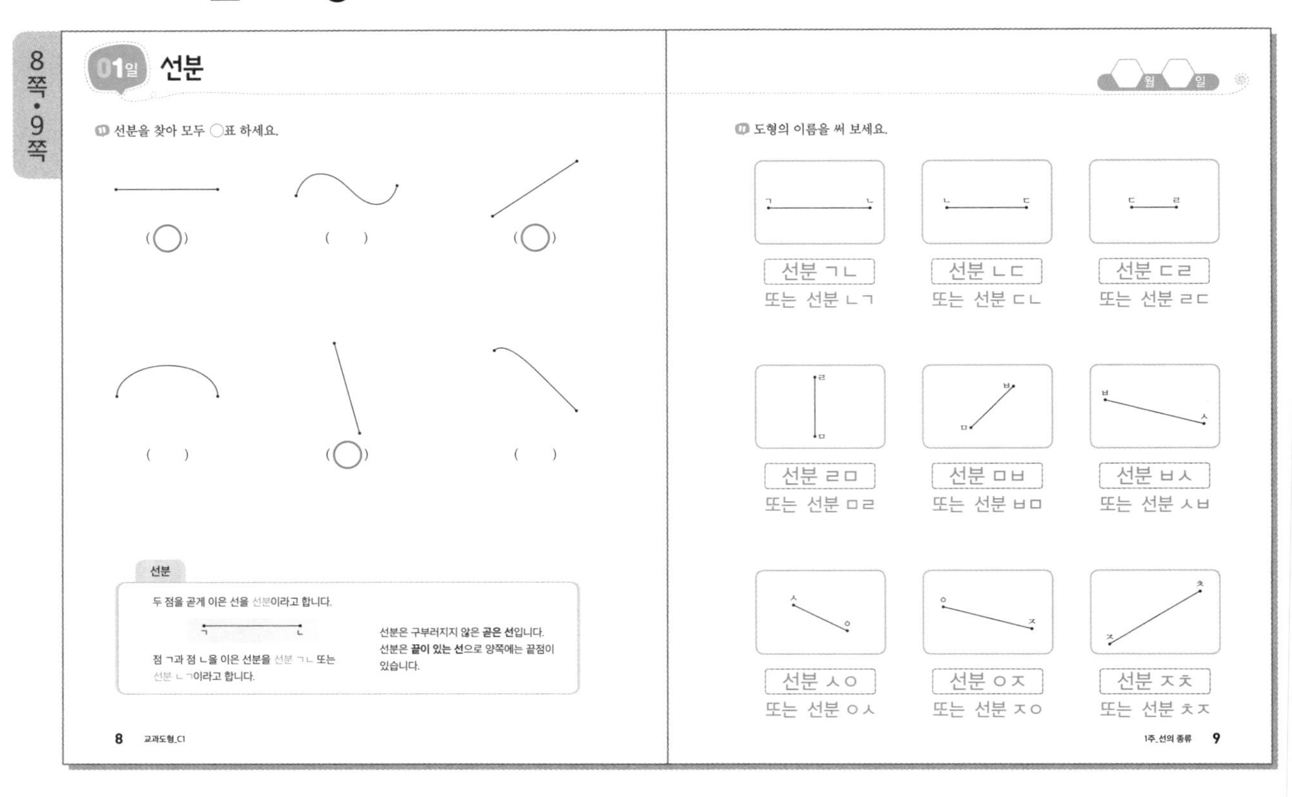
8쪽 • 9쪽
01일 선분
선분을 찾아 모두 ○표 하세요.
선분
두 점을 곧게 이은 선을 선분이라고 합니다.
점 ㄱ과 점 ㄴ을 이은 선분을 선분 ㄱㄴ 또는 선분 ㄴㄱ이라고 합니다.
선분은 구부러지지 않은 곧은 선입니다.
선분은 끝이 있는 선으로 양쪽에는 끝점이 있습니다.
도형의 이름을 써 보세요.
선분 ㄱㄴ 또는 선분 ㄴㄱ
선분 ㄴㄷ 또는 선분 ㄷㄴ
선분 ㄷㄹ 또는 선분 ㄹㄷ
선분 ㄹㅁ 또는 선분 ㅁㄹ
선분 ㅁㅂ 또는 선분 ㅂㅁ
선분 ㅂㅅ 또는 선분 ㅅㅂ
선분 ㅅㅇ 또는 선분 ㅇㅅ
선분 ㅇㅈ 또는 선분 ㅈㅇ
선분 ㅈㅊ 또는 선분 ㅊㅈ

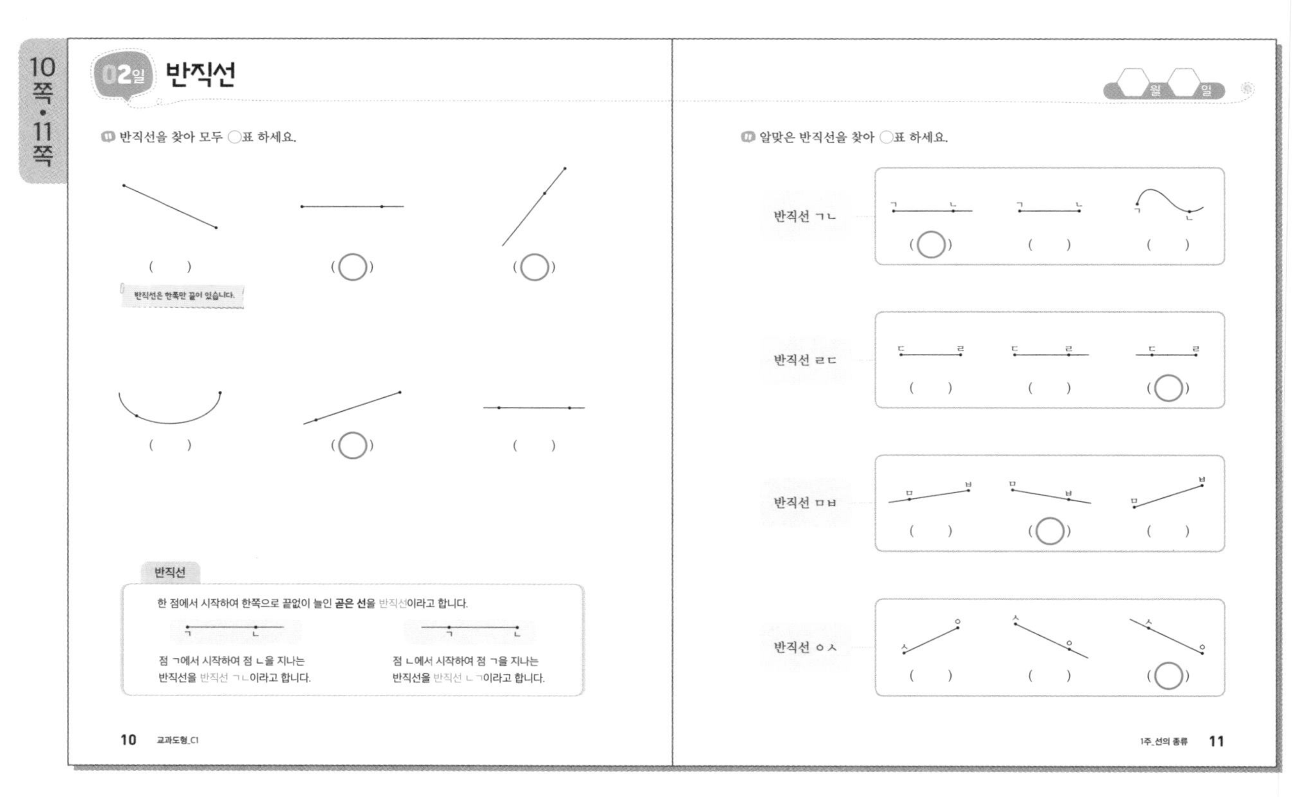
10쪽 • 11쪽
02일 반직선
반직선을 찾아 모두 ○표 하세요.
반직선은 한쪽만 끝이 있습니다.
반직선
한 점에서 시작하여 한쪽으로 끝없이 늘인 곧은 선을 반직선이라고 합니다.
점 ㄱ에서 시작하여 점 ㄴ을 지나는 반직선을 반직선 ㄱㄴ이라고 합니다.
점 ㄴ에서 시작하여 점 ㄱ을 지나는 반직선을 반직선 ㄴㄱ이라고 합니다.
알맞은 반직선을 찾아 ○표 하세요.
반직선 ㄱㄴ
반직선 ㄹㄷ
반직선 ㅁㅂ
반직선 ㅇㅅ

12쪽·13쪽

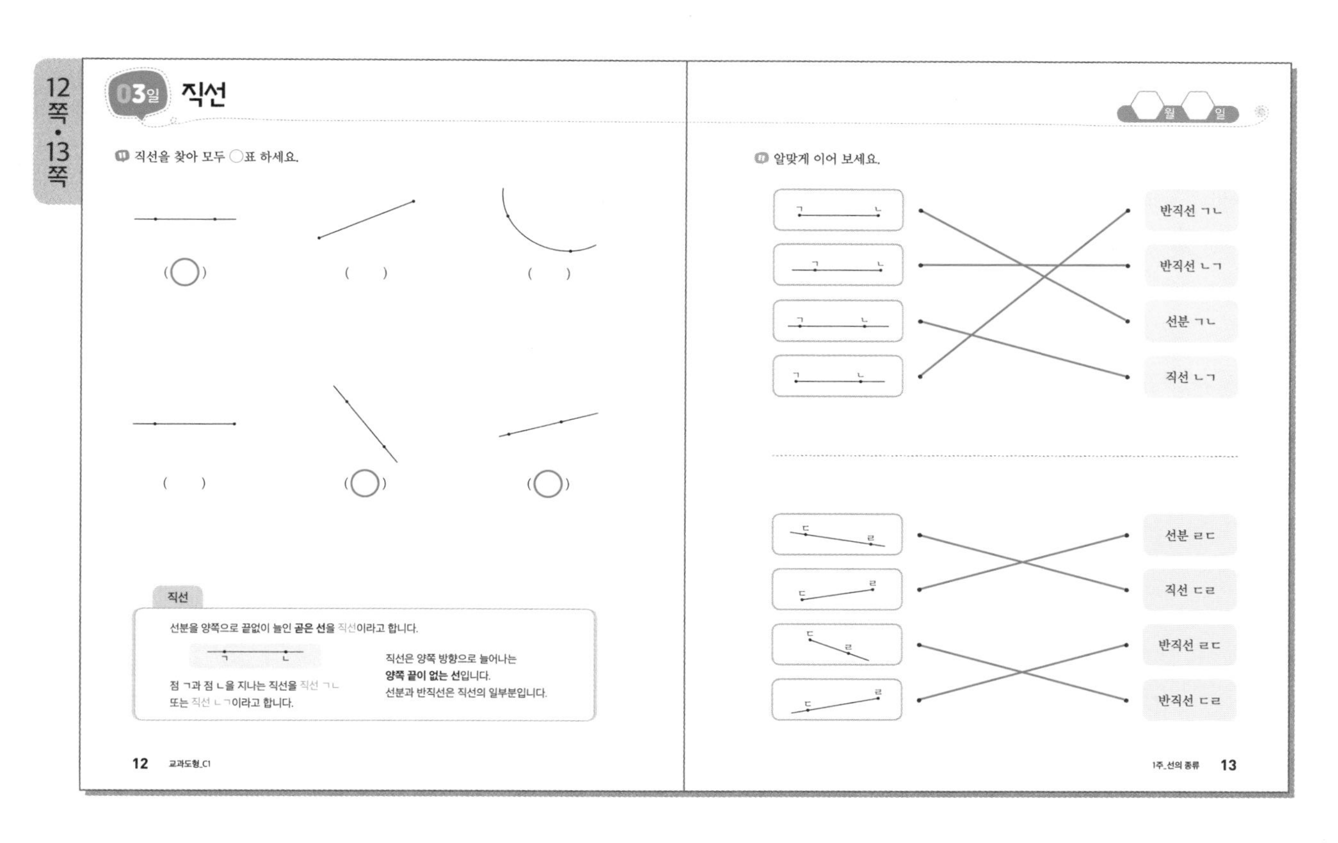

03일 직선

⓫ 직선을 찾아 모두 ◯표 하세요.

(◯) ( ) ( )

( ) (◯) (◯)

직선

선분을 양쪽으로 끝없이 늘인 **곧은 선**을 직선이라고 합니다.

점 ㄱ과 점 ㄴ을 지나는 직선을 직선 ㄱㄴ 또는 직선 ㄴㄱ이라고 합니다.

직선은 양쪽 방향으로 늘어나는 **양쪽 끝이 없는 선**입니다. 선분과 반직선은 직선의 일부분입니다.

12 교과도형_C1

월 일

⓬ 알맞게 이어 보세요.

반직선 ㄱㄴ

반직선 ㄴㄱ

선분 ㄱㄴ

직선 ㄴㄱ

선분 ㄹㄷ

직선 ㄷㄹ

반직선 ㄹㄷ

반직선 ㄷㄹ

1주_선의 종류 13

14쪽·15쪽

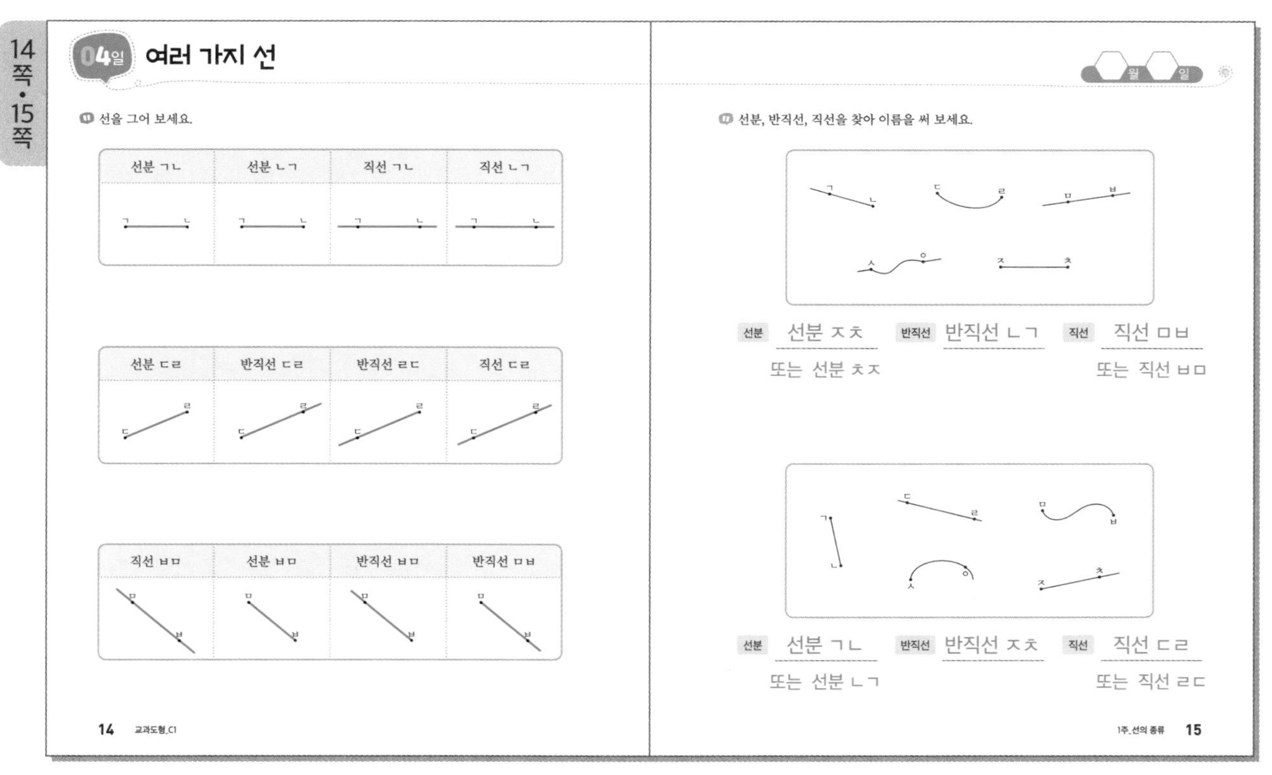

04일 여러 가지 선

⓫ 선을 그어 보세요.

선분 ㄱㄴ	선분 ㄴㄱ	직선 ㄱㄴ	직선 ㄴㄱ

선분 ㄷㄹ	반직선 ㄷㄹ	반직선 ㄹㄷ	직선 ㄷㄹ

직선 ㅂㅁ	선분 ㅂㅁ	반직선 ㅂㅁ	반직선 ㅁㅂ

14 교과도형_C1

월 일

⓬ 선분, 반직선, 직선을 찾아 이름을 써 보세요.

선분 선분 ㅈㅊ 또는 선분 ㅊㅈ / 반직선 반직선 ㄴㄱ / 직선 직선 ㅁㅂ 또는 직선 ㅂㅁ

선분 선분 ㄱㄴ 또는 선분 ㄴㄱ / 반직선 반직선 ㅈㅊ / 직선 직선 ㄷㄹ 또는 직선 ㄹㄷ

1주_선의 종류 15

16쪽·17쪽

05일 선의 특징

11 선분, 반직선, 직선의 특징을 따라 선을 그어 보세요.

선분	양쪽 끝이 있습니다.	길이가 있습니다.
반직선	한쪽 끝이 있습니다.	길이가 없습니다.
직선	양쪽 끝이 없습니다.	길이가 없습니다.

12 바르게 설명한 것에 ○표, 잘못 설명한 것에 ×표 하세요.

- 직선은 선분을 양쪽으로 끝없이 늘인 곧은 선입니다. (○)
- 두 점을 이은 굽은 선도 선분입니다. (×)
  굽은 선은 선분이 아닙니다.
- 반직선은 한 점에서 시작하여 한쪽으로 끝없이 늘인 곧은 선입니다. (○)
- 선분 ㄱㄴ은 선분 ㄴㄱ이라고도 할 수 있습니다. (○)
- 직선 ㄷㄹ은 직선 ㄹㄷ이라고도 할 수 있습니다. (○)
- 반직선 ㅁㅂ은 반직선 ㅂㅁ이라고도 할 수 있습니다. (×)
  반직선은 시작점이 있으므로 이름을 구분해서 읽습니다.

18쪽

13 선분, 반직선, 직선의 특징과 서로 다른 점을 말하고 있습니다. 빈칸에 선분, 반직선 또는 직선을 알맞게 써넣으세요.

- [선분]은 반직선과 직선의 일부분입니다.
- 반직선은 [직선]의 일부분입니다.
- [선분]은 두 점을 잇는 가장 짧은 선입니다.
- [선분]은 양쪽 끝이 있고, [반직선]은 한쪽만 끝이 있고, [직선]은 양쪽 끝이 없습니다.
- [반직선]은 한쪽으로 끝없이 늘인 곧은 선이고, [직선]은 양쪽으로 끝없이 늘인 곧은 선입니다.

[직선과 반직선]

직선과 반직선은 현실적으로 그릴 수 없는 추상적인 개념입니다. 직선과 반직선을 그을 때는 끝이 끊어지게 그릴 수 밖에 없지만 실제로 직선은 양끝이 없는 선, 반직선은 한쪽 끝이 없는 선입니다.
따라서 그림으로 표현된 끊어진 선을 보고 이만큼이 직선 또는 반직선이라고 이해하기보다 끝없이 늘어나는 추상적인 개념으로 이해해야 합니다.

2주차 선 긋기

20쪽·21쪽

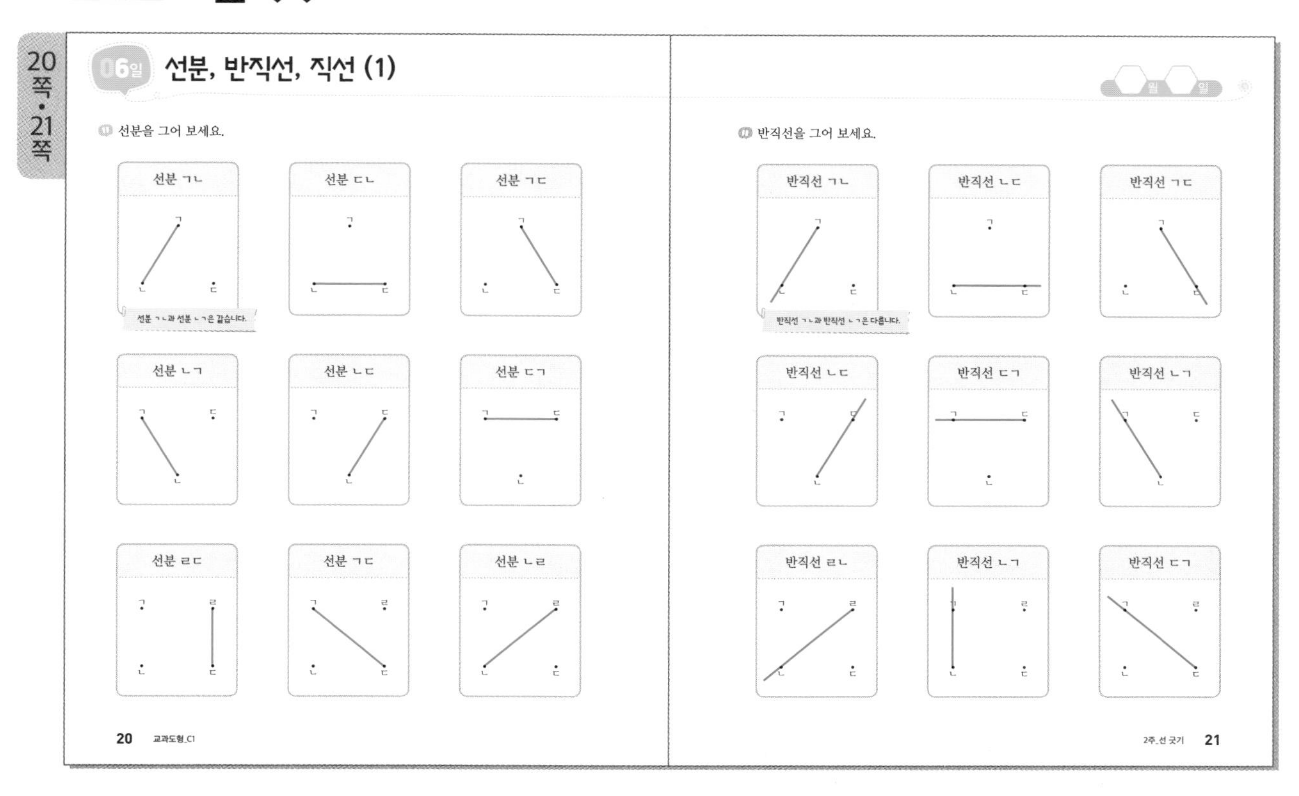

22쪽·23쪽

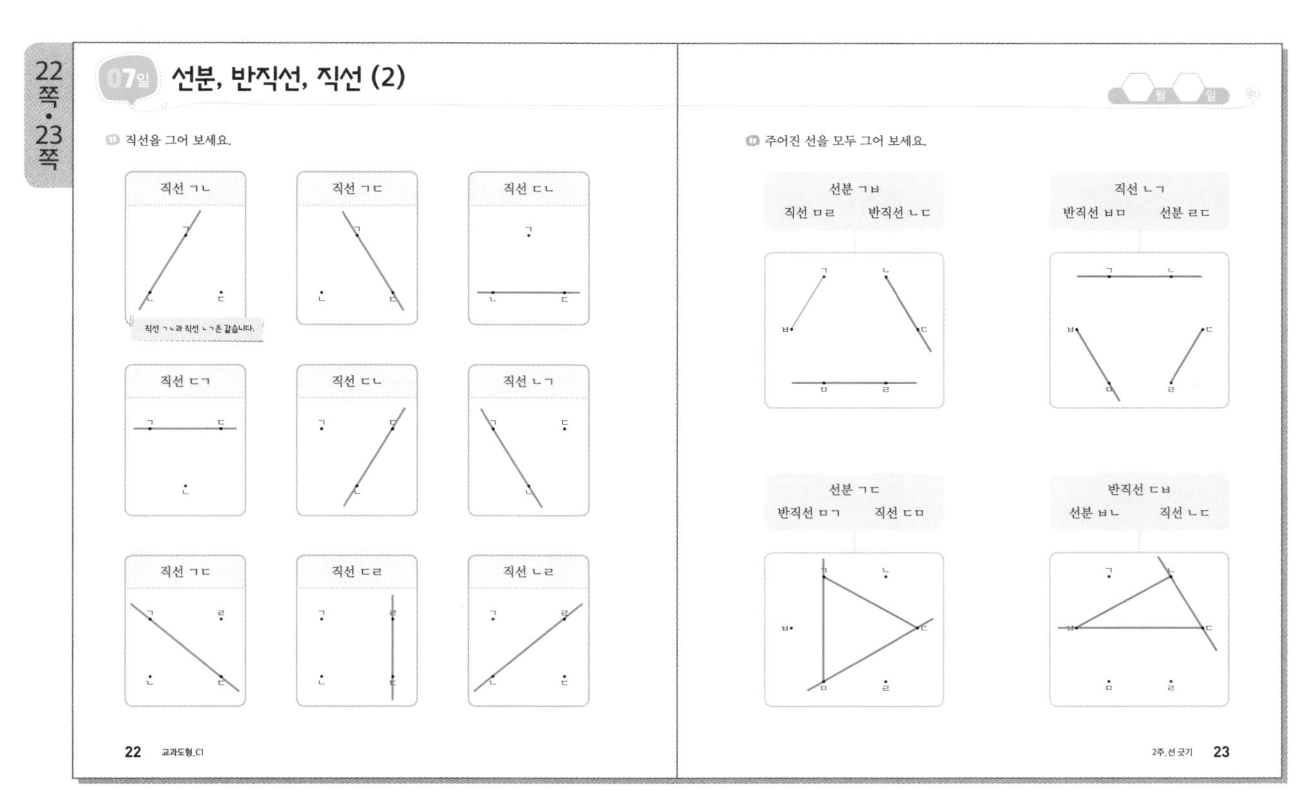

24쪽·25쪽

08일 선분으로 그린 도형

주어진 선분을 차례로 그어 삼각형을 그려 보세요.

① 선분 ㄱㅂ ② 선분 ㅂㅁ ③ 선분 ㅁㄱ

① 선분 ㄴㄹ ② 선분 ㄹㅁ ③ 선분 ㅁㄴ

점 ㄹ은 선분 ㄱㅂ의 일부분입니다.

① 선분 ㅁㄱ ② 선분 ㄱㅅ ③ 선분 ㅅㅁ

① 선분 ㄷㅂ ② 선분 ㅂㅇ ③ 선분 ㅇㄷ

① 선분 ㅂㅅ ② 선분 ㅅㄷ ③ 선분 ㄷㅂ

① 선분 ㄴㅁ ② 선분 ㅁㅇ ③ 선분 ㅇㄴ

선분으로 둘러싸인 도형(삼각형, 사각형 등)에서의 선분을 변이라고 합니다.

월 일

주어진 선분을 차례로 그어 사각형을 그려 보세요.

① 선분 ㄱㅂ ② 선분 ㅂㅇ ③ 선분 ㅇㄷ ④ 선분 ㄷㄱ

① 선분 ㄴㅂ ② 선분 ㅂㅅ ③ 선분 ㅅㄷ ④ 선분 ㄷㄴ

① 선분 ㄴㄹ ② 선분 ㄹㅅ ③ 선분 ㅅㅁ ④ 선분 ㅁㄴ

① 선분 ㄱㅇ ② 선분 ㅇㅁ ③ 선분 ㅁㄴ ④ 선분 ㄴㄱ

① 선분 ㄴㅁ ② 선분 ㅁㅇ ③ 선분 ㅇㅂ ④ 선분 ㅂㄴ

① 선분 ㄷㄴ ② 선분 ㄴㅂ ③ 선분 ㅂㅁ ④ 선분 ㅁㄷ

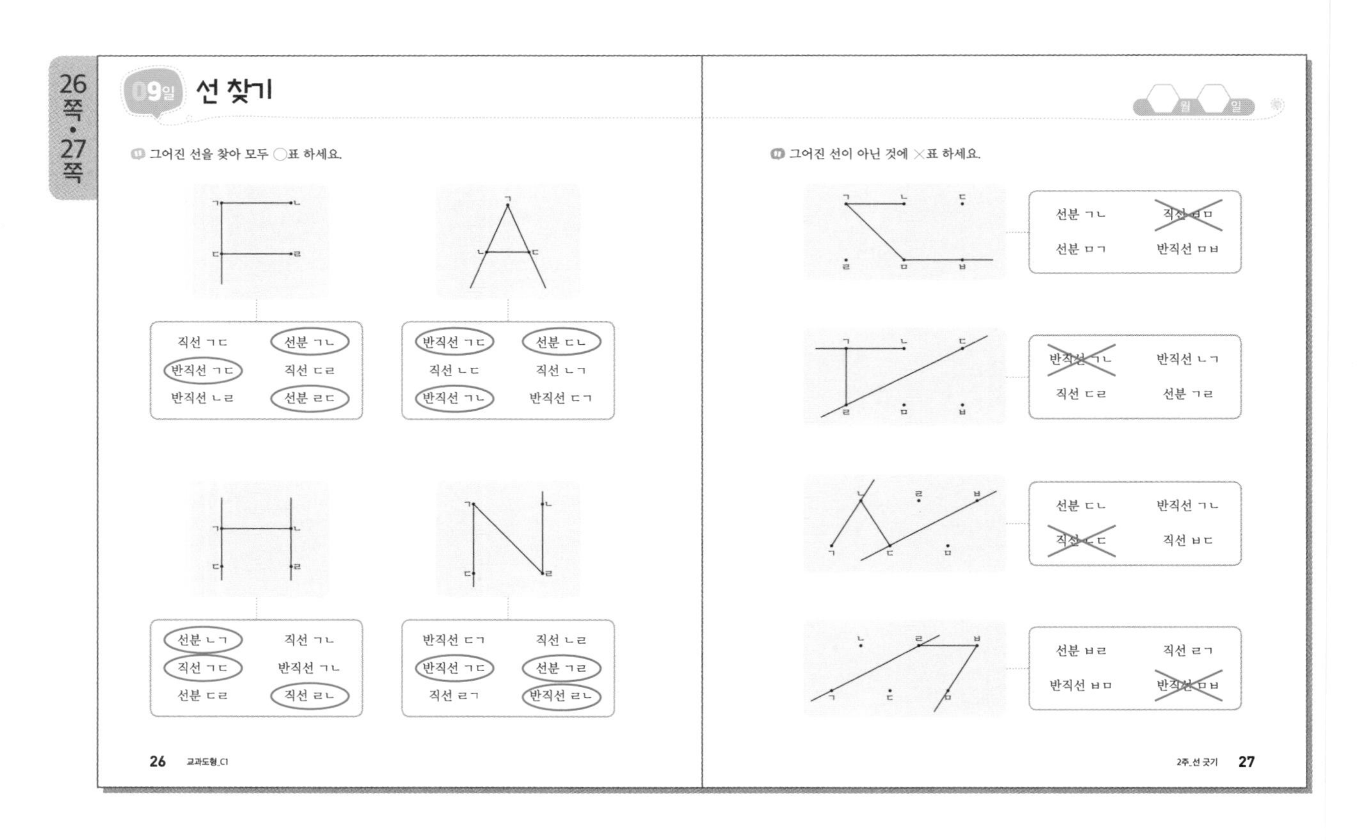
26쪽·27쪽

09일 선 찾기

그어진 선을 찾아 모두 ○표 하세요.

직선 ㄱㄷ, 선분 ㄱㄴ, 반직선 ㄱㄷ, 직선 ㄷㄹ, 반직선 ㄴㄹ, 선분 ㄹㄷ

반직선 ㄱㄷ, 선분 ㄷㄴ, 직선 ㄴㄷ, 직선 ㄴㄱ, 반직선 ㄱㄴ, 반직선 ㄷㄱ

선분 ㄴㄱ, 직선 ㄱㄴ, 직선 ㄱㄷ, 반직선 ㄱㄴ, 선분 ㄷㄹ, 직선 ㄹㄴ

반직선 ㄷㄱ, 직선 ㄴㄹ, 반직선 ㄱㄷ, 선분 ㄱㄹ, 직선 ㄹㄱ, 반직선 ㄹㄴ

26 교과도형_C1

월 일

그어진 선이 아닌 것에 ×표 하세요.

선분 ㄱㄴ, 직선 ㅂㅁ, 선분 ㅁㄱ, 반직선 ㅁㅂ

반직선 ㄱㄴ, 반직선 ㄴㄱ, 직선 ㄷㄹ, 선분 ㄱㄹ

선분 ㄷㄴ, 반직선 ㄱㄴ, 직선 ㄴㄷ, 직선 ㅂㄷ

선분 ㅂㄹ, 직선 ㄹㄱ, 반직선 ㅂㅁ, 반직선 ㅁㅂ

2주_선 긋기 27

28쪽•29쪽

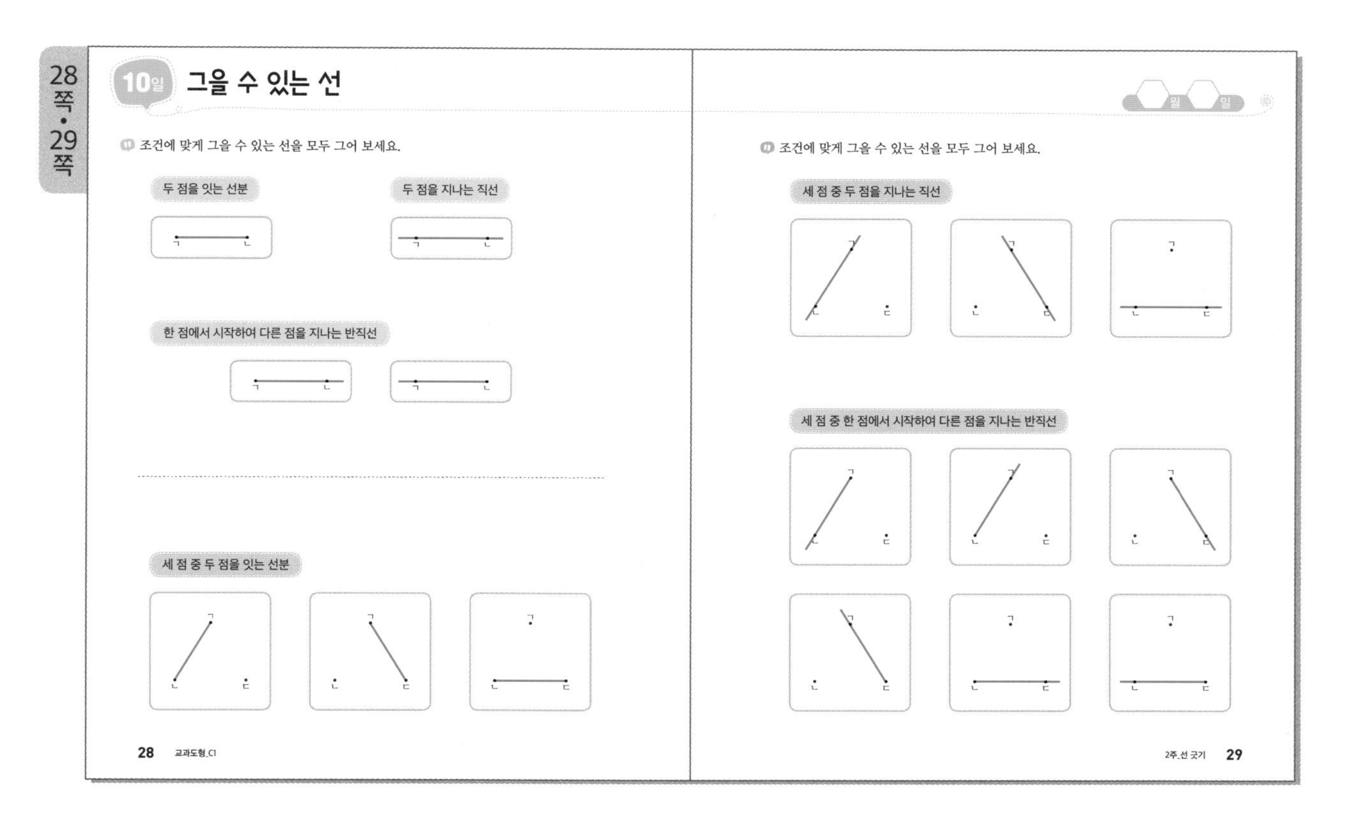

10일 그을 수 있는 선

조건에 맞게 그을 수 있는 선을 모두 그어 보세요.

두 점을 잇는 선분

두 점을 지나는 직선

한 점에서 시작하여 다른 점을 지나는 반직선

세 점 중 두 점을 잇는 선분

조건에 맞게 그을 수 있는 선을 모두 그어 보세요.

세 점 중 두 점을 지나는 직선

세 점 중 한 점에서 시작하여 다른 점을 지나는 반직선

28 교과도형_C1

2주_선 긋기 29

30쪽

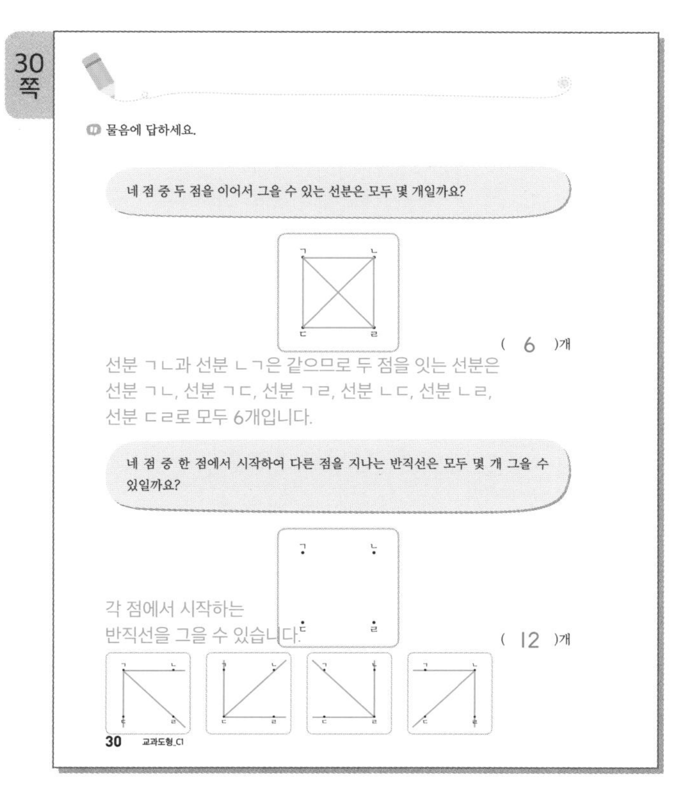

물음에 답하세요.

네 점 중 두 점을 이어서 그을 수 있는 선분은 모두 몇 개일까요?

(6)개

선분 ㄱㄴ과 선분 ㄴㄱ은 같으므로 두 점을 잇는 선분은 선분 ㄱㄴ, 선분 ㄱㄷ, 선분 ㄱㄹ, 선분 ㄴㄷ, 선분 ㄴㄹ, 선분 ㄷㄹ로 모두 6개입니다.

네 점 중 한 점에서 시작하여 다른 점을 지나는 반직선은 모두 몇 개 그을 수 있을까요?

각 점에서 시작하는 반직선을 그을 수 있습니다.

(12)개

30 교과도형_C1

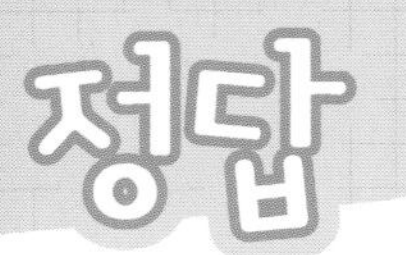

3주차 각

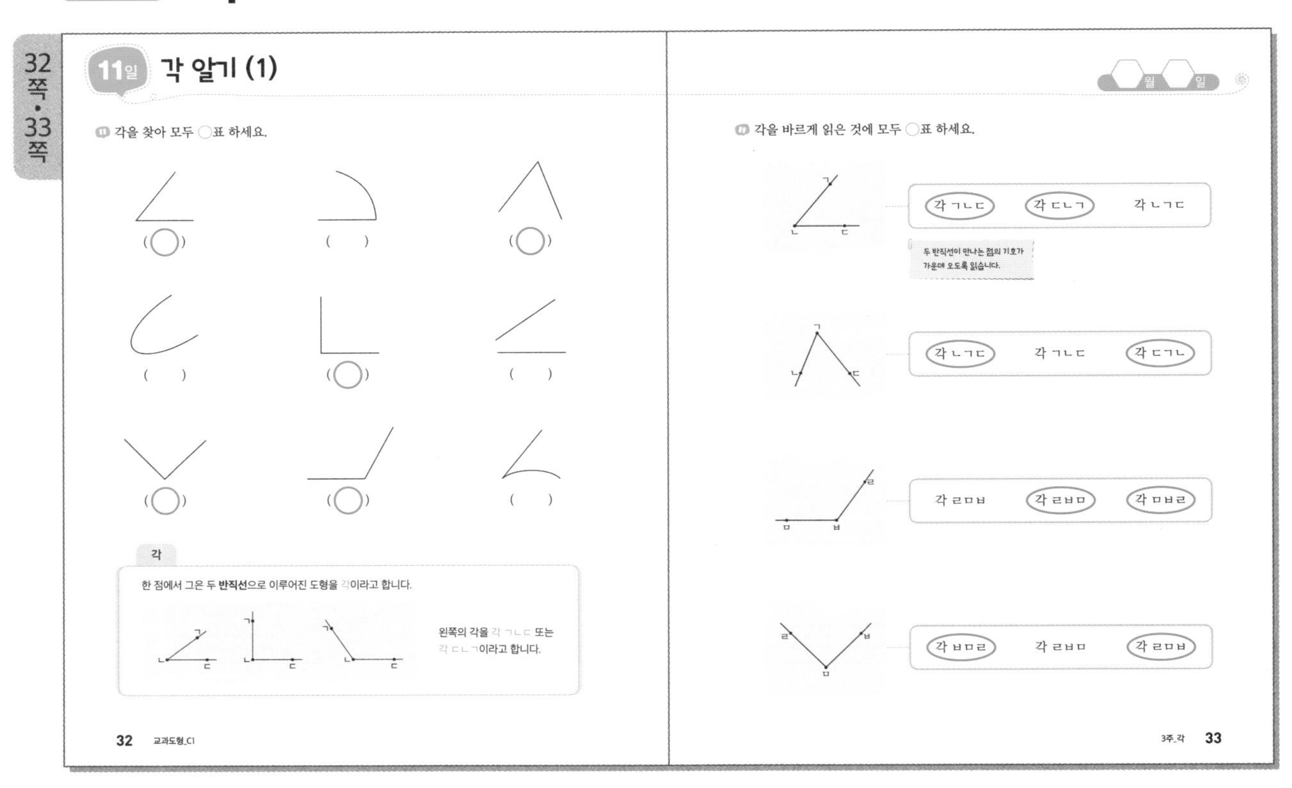

32쪽·33쪽
11일 각 알기 (1)
각을 찾아 모두 ○표 하세요.
각
한 점에서 그은 두 반직선으로 이루어진 도형을 각이라고 합니다.
왼쪽의 각을 각 ㄱㄴㄷ 또는 각 ㄷㄴㄱ이라고 합니다.
각을 바르게 읽은 것에 모두 ○표 하세요.
각 ㄱㄴㄷ
각 ㄷㄴㄱ
각 ㄴㄱㄷ
두 반직선이 만나는 점의 기호가 가운데 오도록 읽습니다.
각 ㄴㄱㄷ
각 ㄱㄴㄷ
각 ㄷㄱㄴ
각 ㄹㅁㅂ
각 ㄹㅂㅁ
각 ㅁㅂㄹ
각 ㅂㅁㄹ
각 ㄹㅂㅁ
각 ㄹㅁㅂ
32 교과도형_C1
3주_각 33

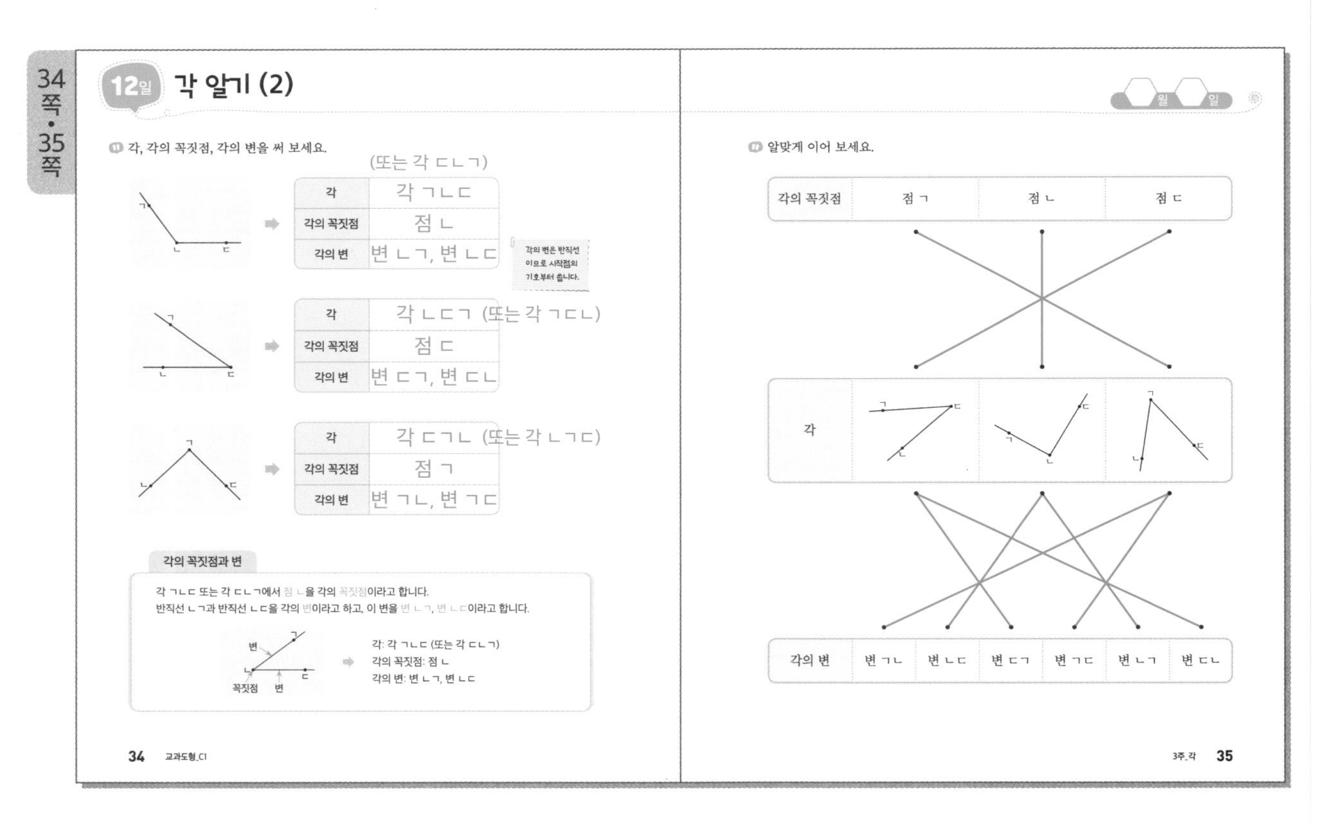

34쪽·35쪽
12일 각 알기 (2)
각, 각의 꼭짓점, 각의 변을 써 보세요.
(또는 각 ㄷㄴㄱ)
각 | 각 ㄱㄴㄷ
각의 꼭짓점 | 점 ㄴ
각의 변 | 변 ㄴㄱ, 변 ㄴㄷ
각의 변은 반직선이므로 시작점의 기호부터 씁니다.
각 | 각 ㄴㄷㄱ (또는 각 ㄱㄷㄴ)
각의 꼭짓점 | 점 ㄷ
각의 변 | 변 ㄷㄱ, 변 ㄷㄴ
각 | 각 ㄷㄱㄴ (또는 각 ㄴㄱㄷ)
각의 꼭짓점 | 점 ㄱ
각의 변 | 변 ㄱㄴ, 변 ㄱㄷ
각의 꼭짓점과 변
각 ㄱㄴㄷ 또는 각 ㄷㄴㄱ에서 점 ㄴ을 각의 꼭짓점이라고 합니다.
반직선 ㄴㄱ과 반직선 ㄴㄷ을 각의 변이라고 하고, 이 변을 변 ㄴㄱ, 변 ㄴㄷ이라고 합니다.
각: 각 ㄱㄴㄷ (또는 각 ㄷㄴㄱ)
각의 꼭짓점: 점 ㄴ
각의 변: 변 ㄴㄱ, 변 ㄴㄷ
알맞게 이어 보세요.
각의 꼭짓점 | 점 ㄱ | 점 ㄴ | 점 ㄷ
각
각의 변 | 변 ㄱㄴ | 변 ㄴㄷ | 변 ㄷㄱ | 변 ㄱㄷ | 변 ㄴㄱ | 변 ㄷㄴ
34 교과도형_C1
3주_각 35

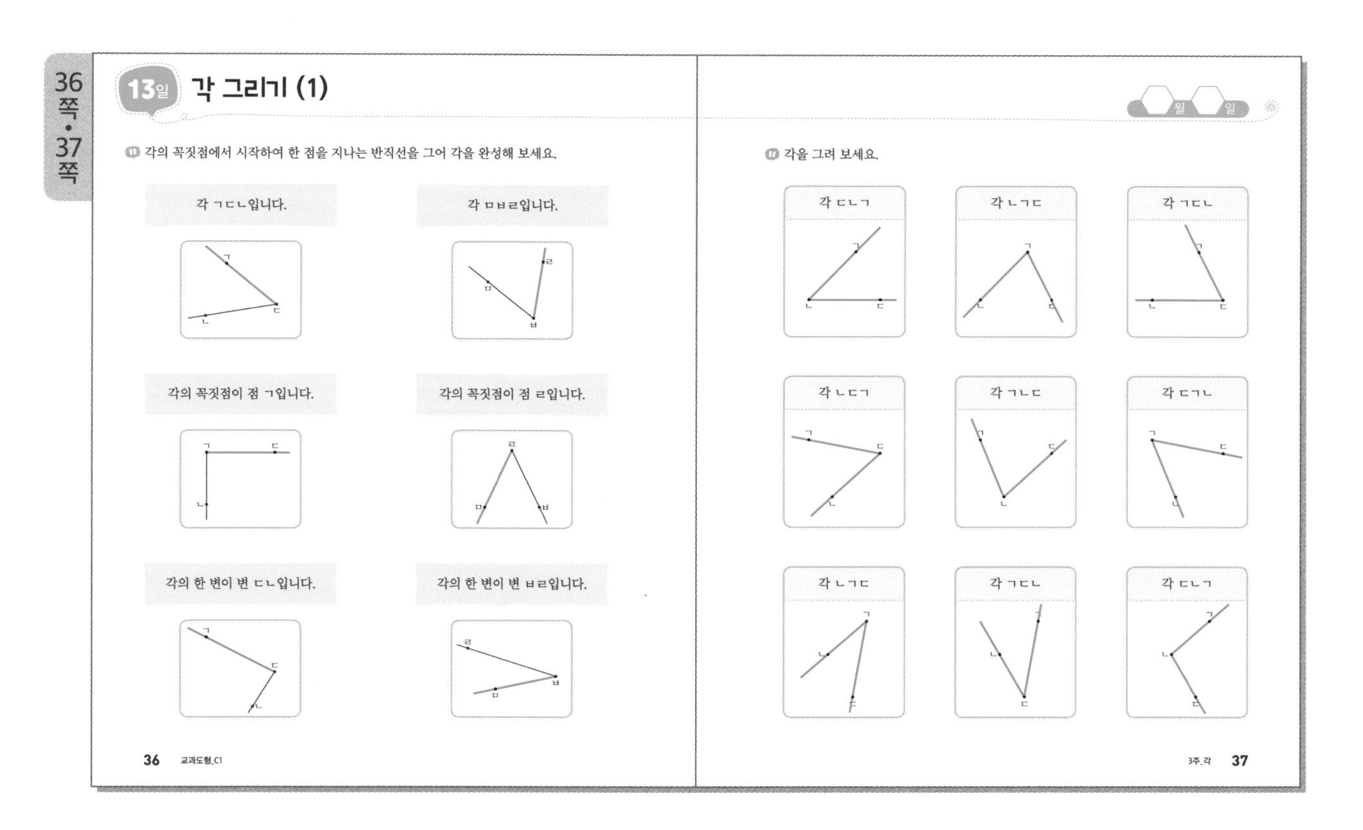
36쪽·37쪽
13일 각 그리기 (1)
월 일
각의 꼭짓점에서 시작하여 한 점을 지나는 반직선을 그어 각을 완성해 보세요.
각 ㄱㄷㄴ입니다.
각 ㅁㅂㄹ입니다.
각의 꼭짓점이 점 ㄱ입니다.
각의 꼭짓점이 점 ㄹ입니다.
각의 한 변이 변 ㄷㄴ입니다.
각의 한 변이 변 ㅂㄹ입니다.
각을 그려 보세요.
각 ㄷㄴㄱ
각 ㄴㄱㄷ
각 ㄱㄷㄴ
각 ㄴㄷㄱ
각 ㄱㄴㄷ
각 ㄷㄱㄴ
각 ㄴㄱㄷ
각 ㄱㄷㄴ
각 ㄷㄴㄱ
36 교과도형_C1
3주_각 37

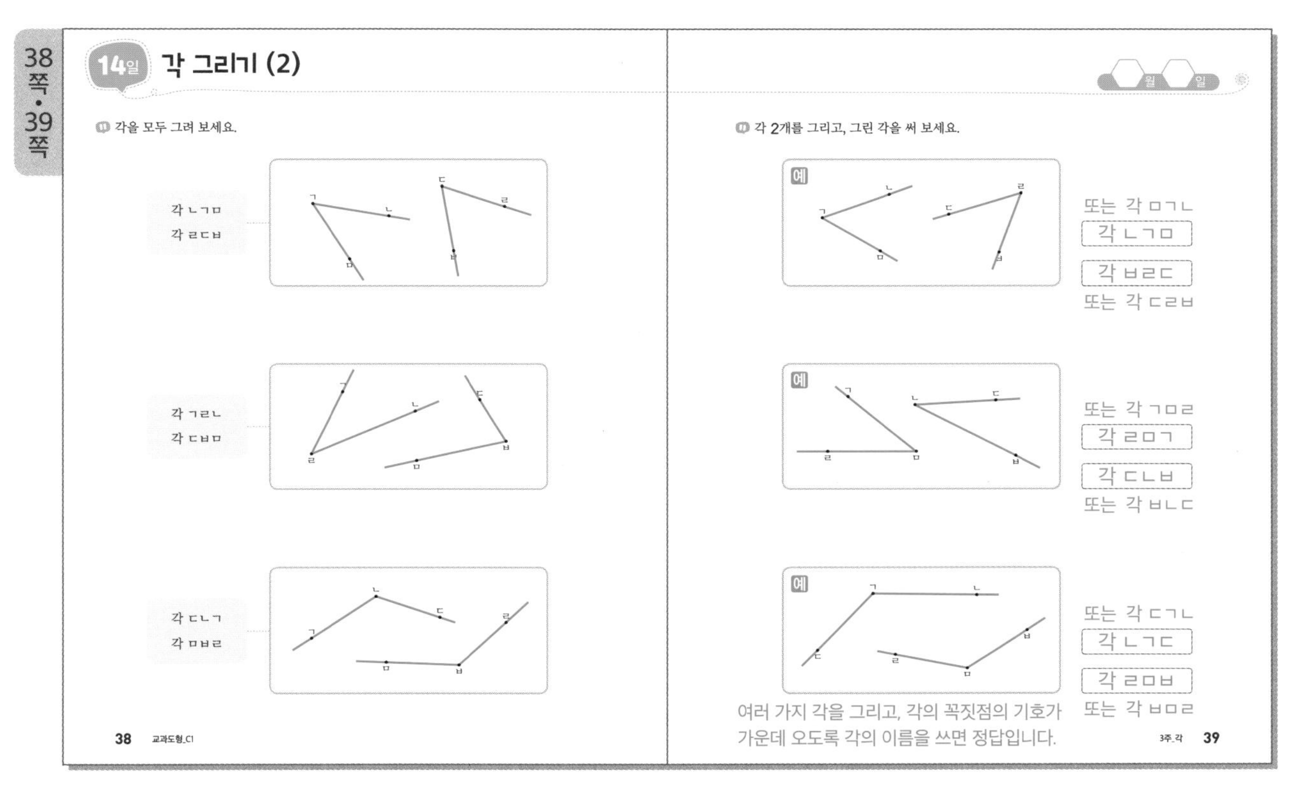
38쪽·39쪽
14일 각 그리기 (2)
월 일
각을 모두 그려 보세요.
각 ㄴㄱㅁ
각 ㄹㄷㅂ
각 ㄱㄹㄴ
각 ㄷㅂㅁ
각 ㄷㄴㄱ
각 ㅁㅂㄹ
각 2개를 그리고, 그린 각을 써 보세요.
예
또는 각 ㅁㄱㄴ
각 ㄴㄱㅁ
각 ㅂㄹㄷ
또는 각 ㄷㄹㅂ
또는 각 ㄱㅁㄹ
각 ㄹㅁㄱ
각 ㄷㄴㅂ
또는 각 ㅂㄴㄷ
또는 각 ㄷㄱㄴ
각 ㄴㄱㄷ
각 ㄹㅁㅂ
또는 각 ㅂㅁㄹ
여러 가지 각을 그리고, 각의 꼭짓점의 기호가 가운데 오도록 각의 이름을 쓰면 정답입니다.
38 교과도형_C1
3주_각 39

40쪽·41쪽

15일 각 설명하기

11 각을 바르게 설명한 것에 ○표, 잘못 설명한 것에 ×표 하세요.

두 반직선이 만나는 점을 각의 꼭짓점이라고 합니다. ——— (○)

각 ㄴㄱㄷ이라고 읽습니다. ——— (×)

각의 변은 변 ㄴㄷ과 변 ㄴㄱ입니다. ——— (○)

각 ㄱㄴㄷ 또는 각 ㄷㄴㄱ이라고 읽습니다.

각 ㅂㄹㅁ이라고 읽습니다. ——— (○)

각의 꼭짓점은 점 ㄹ입니다. ——— (○)

반직선 ㅁㄹ과 반직선 ㅂㄹ을 각의 변이라고 합니다. ——— (×)

반직선 ㄹㅁ과 반직선 ㄹㅂ을 각의 변이라고 합니다.

12 알맞은 말에 ○표 하세요.

각은 두 반직선이 (한 점 , 두 점)에서 만납니다. (정답: 한 점)

각은 (곧은 선 , 굽은 선)으로 이루어진 도형입니다. (정답: 곧은 선)

각을 이루는 두 반직선을 각의 (변 , 꼭짓점)이라고 합니다. (정답: 변)

각 ㄴㄱㄷ은 각 ㄱㄴㄷ이라고 읽을 수 (있습니다 , 없습니다). (정답: 없습니다)

각 ㄹㅂㅁ에서 각의 꼭짓점은 (점 ㅁ , 점 ㅂ)입니다. (정답: 점 ㅂ)

각 ㄱㄴㄷ에서 각의 변은 (변 ㄱㄴ , 변 ㄴㄱ)과 (변 ㄴㄷ , 변 ㄷㄴ)입니다. (정답: 변 ㄴㄱ, 변 ㄴㄷ)

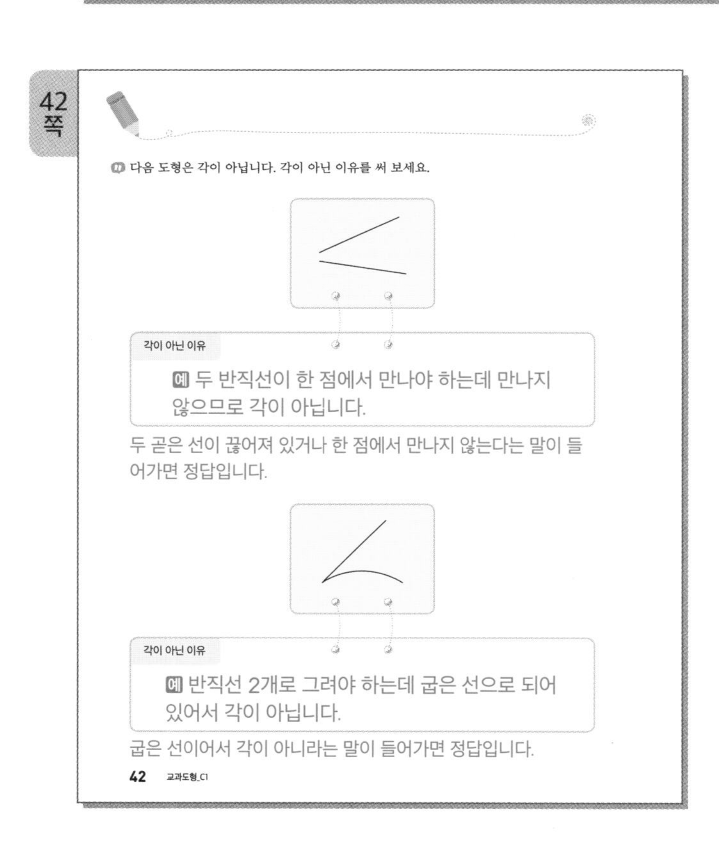

42쪽

13 다음 도형은 각이 아닙니다. 각이 아닌 이유를 써 보세요.

각이 아닌 이유

예 두 반직선이 한 점에서 만나야 하는데 만나지 않으므로 각이 아닙니다.

두 곧은 선이 끊어져 있거나 한 점에서 만나지 않는다는 말이 들어가면 정답입니다.

각이 아닌 이유

예 반직선 2개로 그려야 하는데 굽은 선으로 되어 있어서 각이 아닙니다.

굽은 선이어서 각이 아니라는 말이 들어가면 정답입니다.

4주차 직각

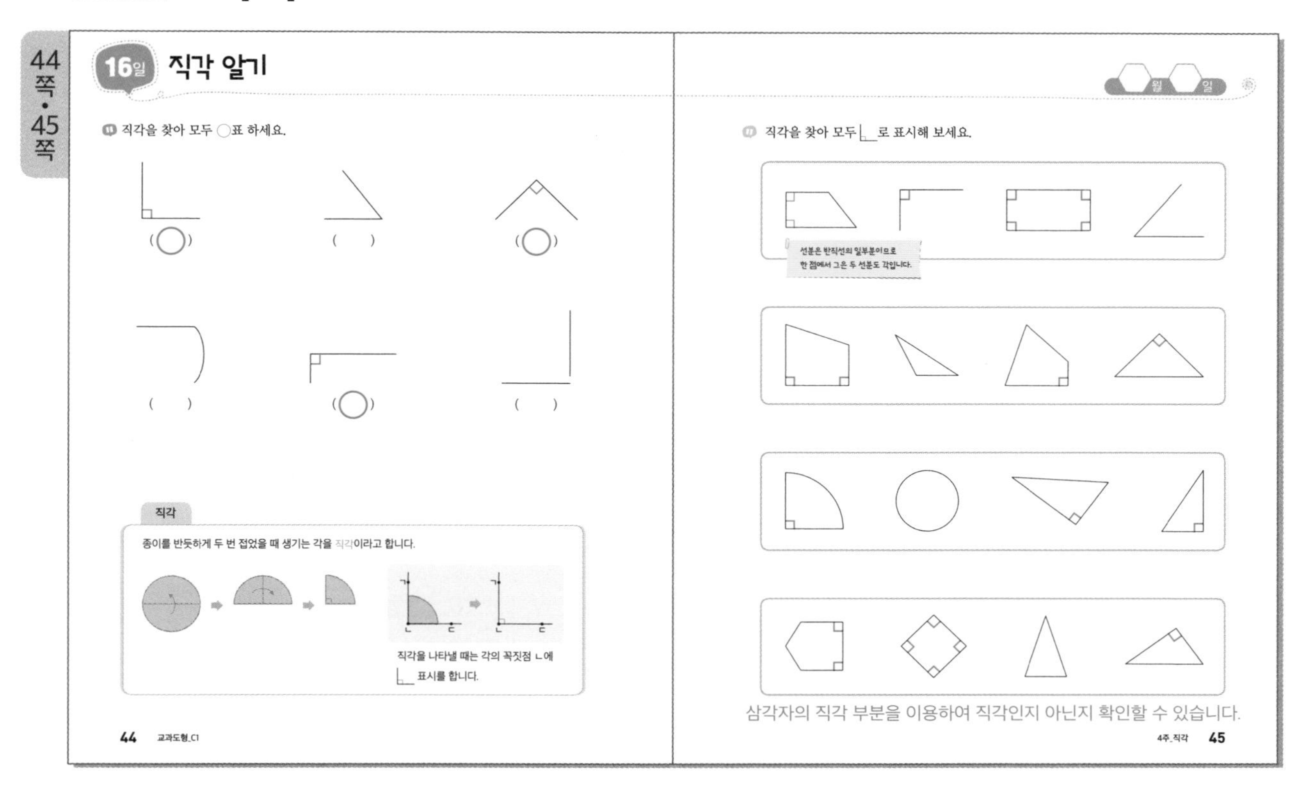
44쪽 • 45쪽
16일 직각 알기
직각을 찾아 모두 ○표 하세요.
직각
종이를 반듯하게 두 번 접었을 때 생기는 각을 직각이라고 합니다.
직각을 나타낼 때는 각의 꼭짓점 ㄴ에 표시를 합니다.
직각을 찾아 모두 로 표시해 보세요.
삼각자의 직각 부분을 이용하여 직각인지 아닌지 확인할 수 있습니다.
44 교과도형_C1
4주_직각 45

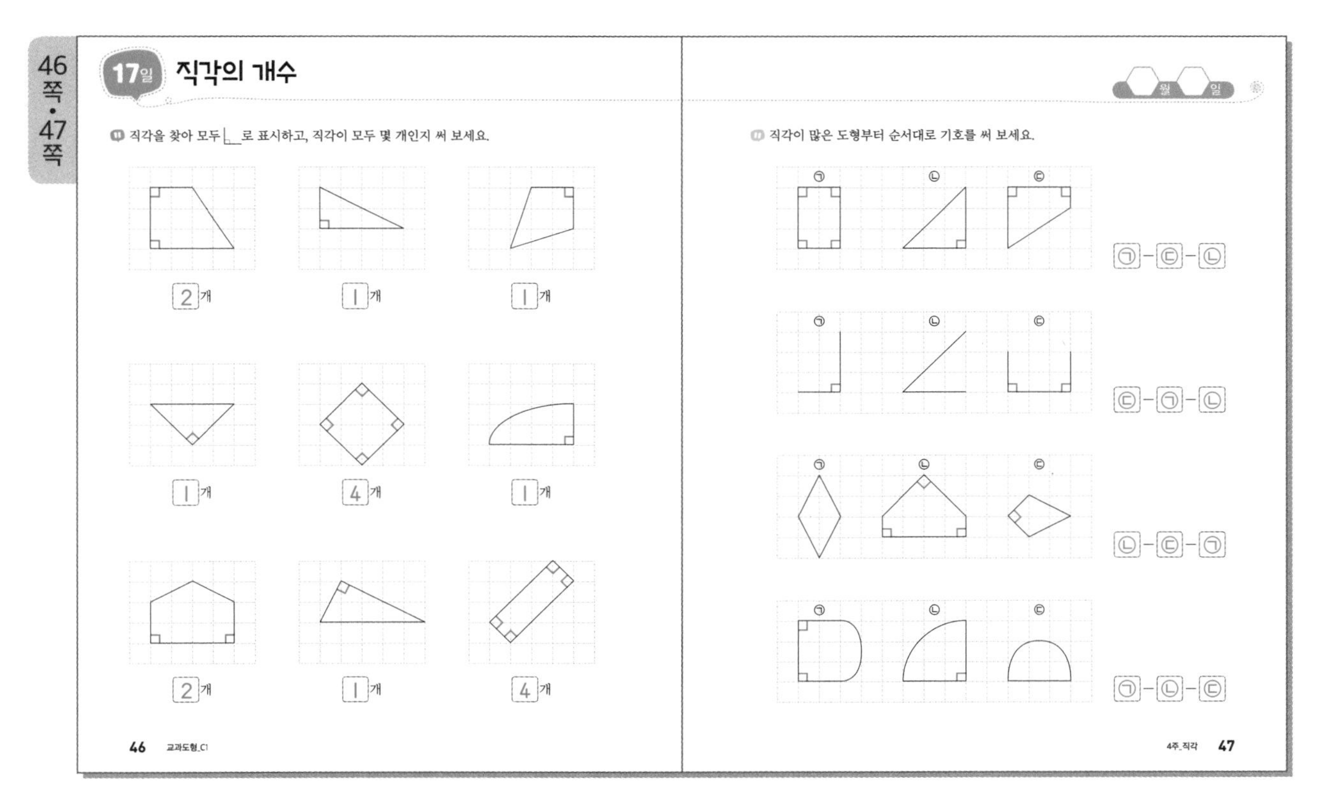
46쪽 • 47쪽
17일 직각의 개수
직각을 찾아 모두 로 표시하고, 직각이 모두 몇 개인지 써 보세요.
2개
1개
1개
1개
4개
1개
2개
1개
4개
직각이 많은 도형부터 순서대로 기호를 써 보세요.
㉠-㉢-㉡
㉢-㉠-㉡
㉡-㉢-㉠
㉠-㉡-㉢
46 교과도형_C1
4주_직각 47

정답

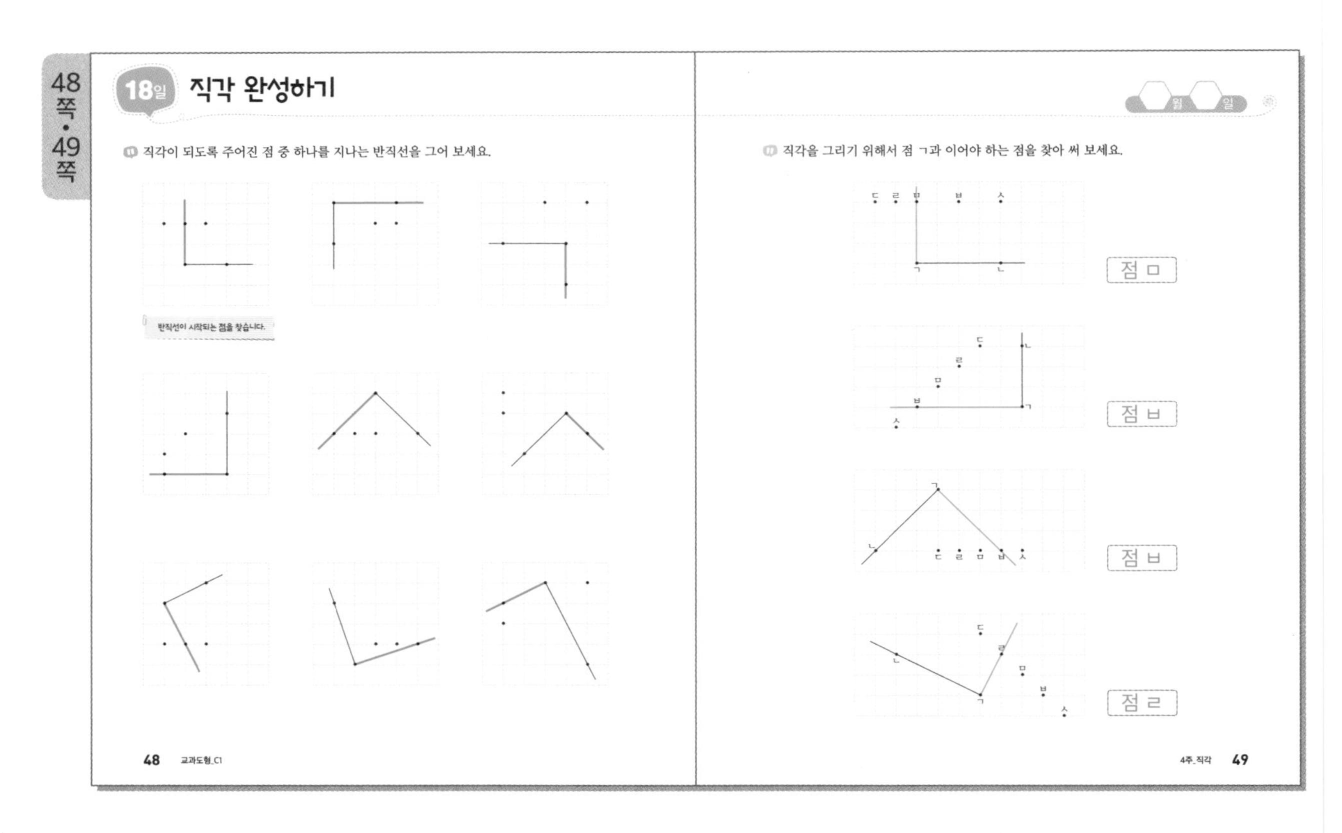
48쪽·49쪽
18일 직각 완성하기
월 일
직각이 되도록 주어진 점 중 하나를 지나는 반직선을 그어 보세요.
반직선이 시작되는 점을 찾습니다.
직각을 그리기 위해서 점 ㄱ과 이어야 하는 점을 찾아 써 보세요.
점 ㅁ
점 ㅂ
점 ㅂ
점 ㄹ
48 교과도형_C1
4주_직각 49

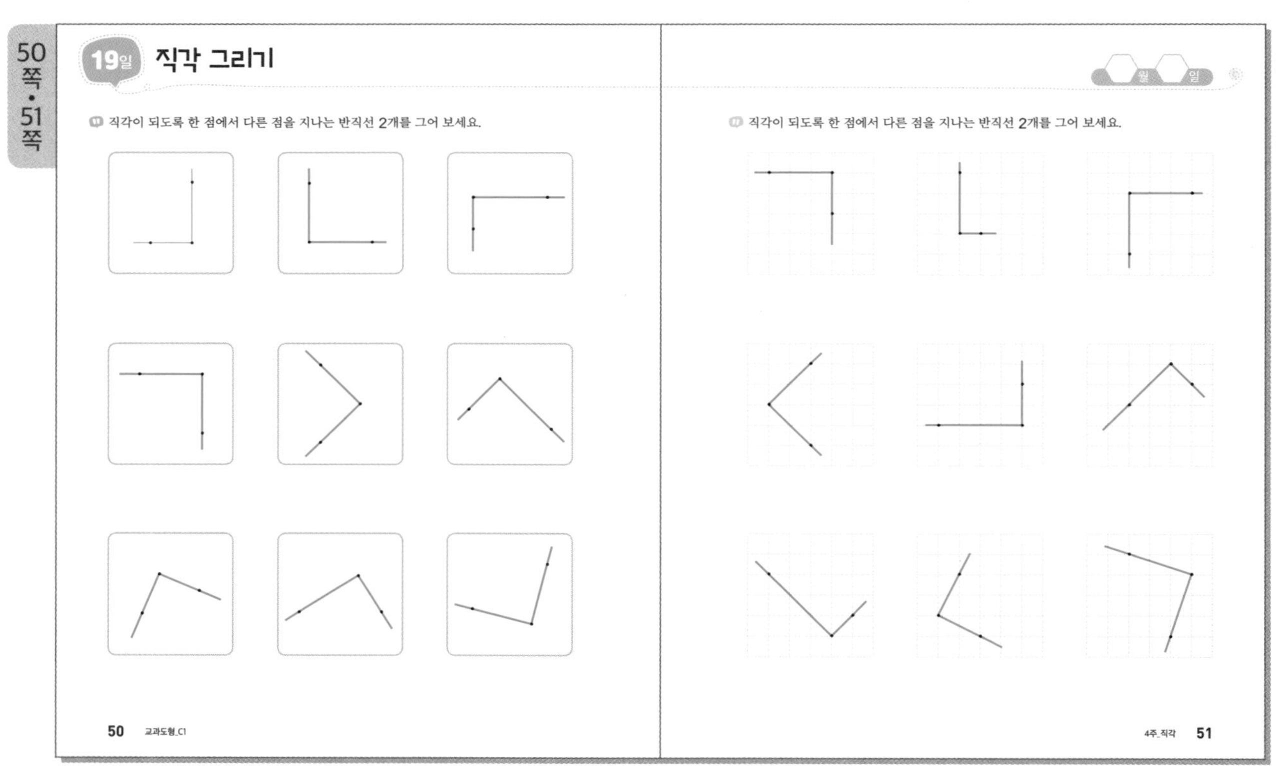
50쪽·51쪽
19일 직각 그리기
월 일
직각이 되도록 한 점에서 다른 점을 지나는 반직선 2개를 그어 보세요.
직각이 되도록 한 점에서 다른 점을 지나는 반직선 2개를 그어 보세요.
50 교과도형_C1
4주_직각 51

52쪽·53쪽

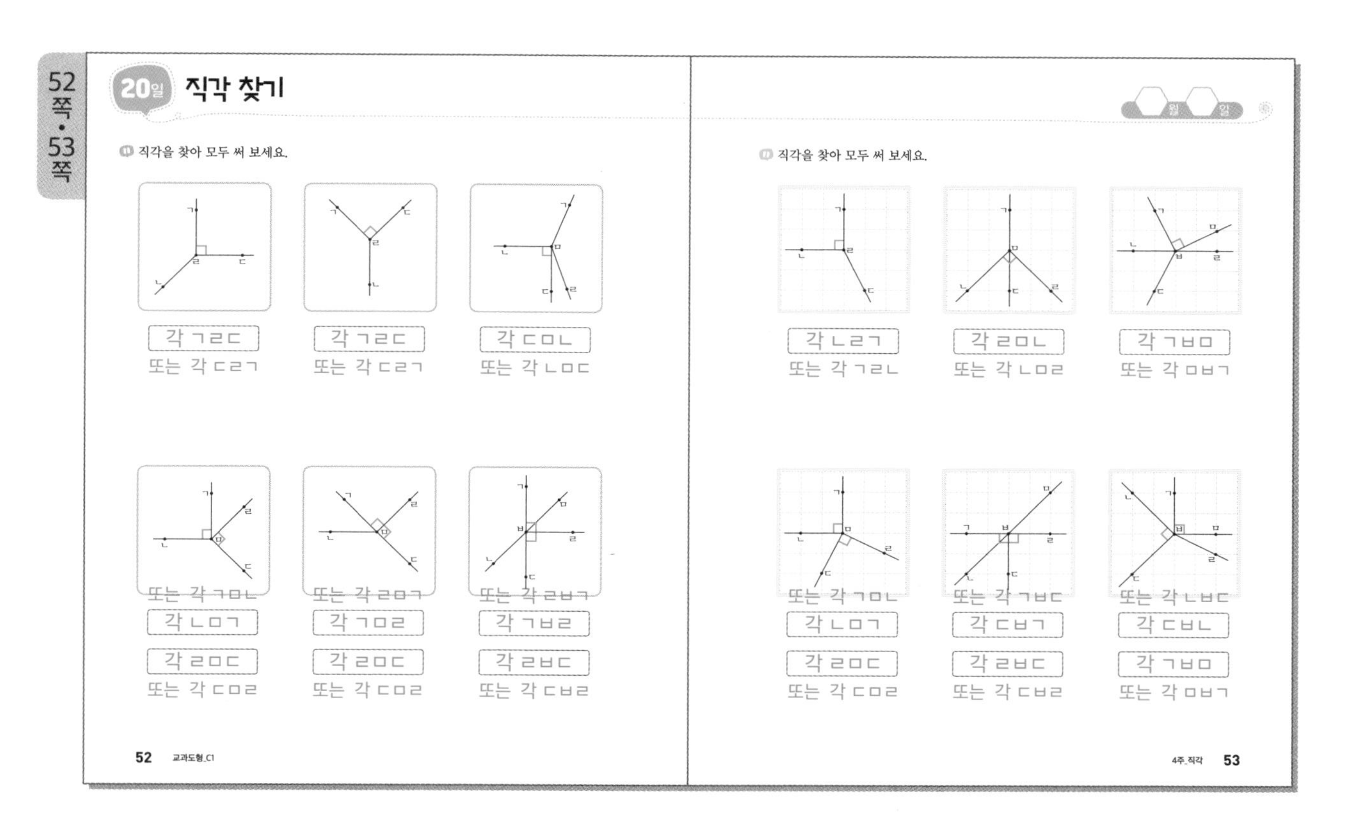

20일 직각 찾기

월 일

직각을 찾아 모두 써 보세요.

각 ㄱㄹㄷ 또는 각 ㄷㄹㄱ

각 ㄱㄹㄷ 또는 각 ㄷㄹㄱ

각 ㄷㅁㄴ 또는 각 ㄴㅁㄷ

각 ㄴㅁㄱ 또는 각 ㄱㅁㄴ, 각 ㄹㅁㄷ 또는 각 ㄷㅁㄹ

각 ㄱㅁㄹ 또는 각 ㄹㅁㄱ, 각 ㄹㅁㄷ 또는 각 ㄷㅁㄹ

각 ㄱㅂㄹ 또는 각 ㄹㅂㄱ, 각 ㄹㅂㄷ 또는 각 ㄷㅂㄹ

직각을 찾아 모두 써 보세요.

각 ㄴㄹㄱ 또는 각 ㄱㄹㄴ

각 ㄹㅁㄴ 또는 각 ㄴㅁㄹ

각 ㄱㅂㅁ 또는 각 ㅁㅂㄱ

각 ㄴㅁㄱ 또는 각 ㄱㅁㄴ, 각 ㄹㅁㄷ 또는 각 ㄷㅁㄹ

각 ㄷㅂㄱ 또는 각 ㄱㅂㄷ, 각 ㄹㅂㄷ 또는 각 ㄷㅂㄹ

각 ㄷㅂㄴ 또는 각 ㄴㅂㄷ, 각 ㄱㅂㅁ 또는 각 ㅁㅂㄱ

52 교과도형_C1

4주_직각 53

54쪽

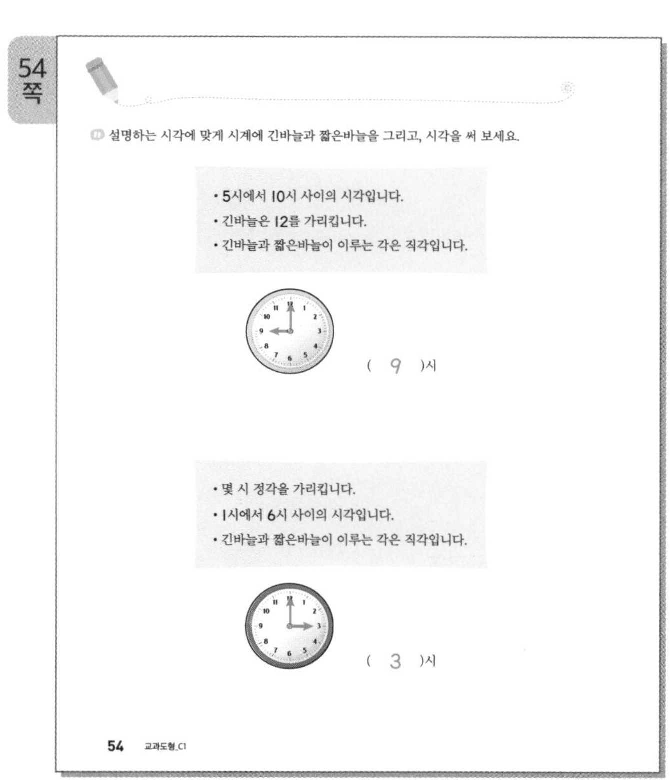

설명하는 시각에 맞게 시계에 긴바늘과 짧은바늘을 그리고, 시각을 써 보세요.

- 5시에서 10시 사이의 시각입니다.
- 긴바늘은 12를 가리킵니다.
- 긴바늘과 짧은바늘이 이루는 각은 직각입니다.

(9)시

- 몇 시 정각을 가리킵니다.
- 1시에서 6시 사이의 시각입니다.
- 긴바늘과 짧은바늘이 이루는 각은 직각입니다.

(3)시

54 교과도형_C1

정답

도형플러스+ 직각의 개수

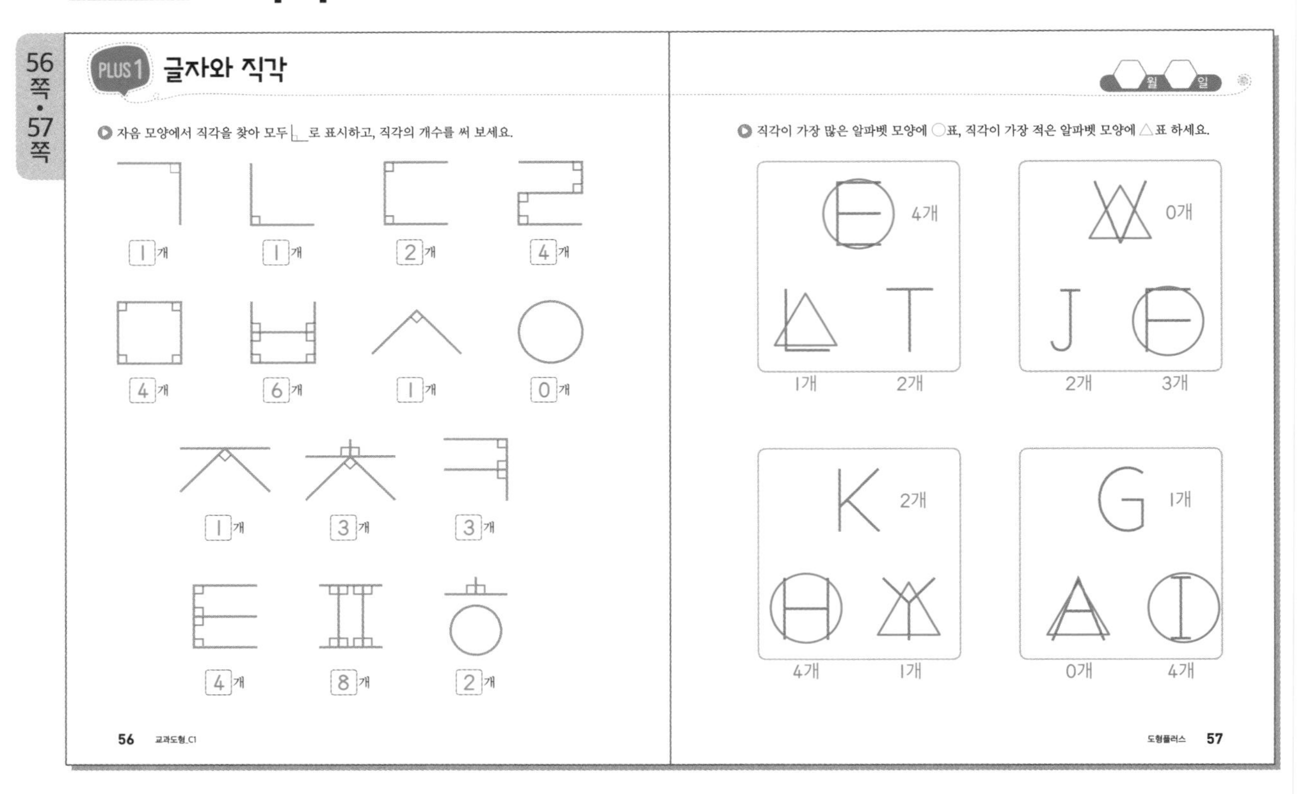

56쪽·57쪽
PLUS 1 글자와 직각
자음 모양에서 직각을 찾아 모두 ㄴ로 표시하고, 직각의 개수를 써 보세요.
1개
1개
2개
4개
4개
6개
1개
0개
1개
3개
3개
4개
8개
2개
56 교과도형_C1
월 일
직각이 가장 많은 알파벳 모양에 ○표, 직각이 가장 적은 알파벳 모양에 △표 하세요.
4개
1개
2개
0개
2개
3개
2개
4개
1개
1개
0개
4개
도형플러스 57

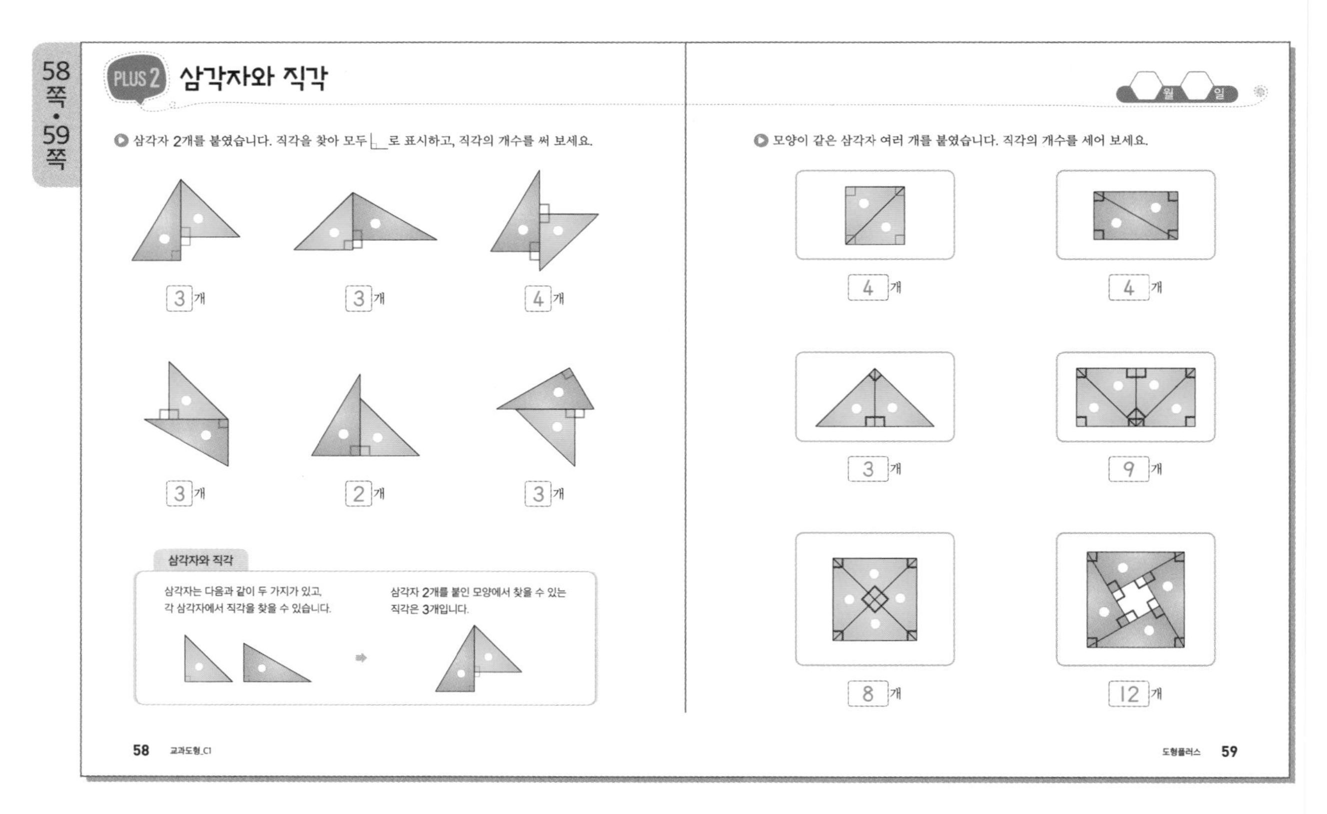

58쪽·59쪽
PLUS 2 삼각자와 직각
삼각자 2개를 붙였습니다. 직각을 찾아 모두 ㄴ로 표시하고, 직각의 개수를 써 보세요.
3개
3개
4개
3개
2개
3개
삼각자와 직각
삼각자는 다음과 같이 두 가지가 있고, 각 삼각자에서 직각을 찾을 수 있습니다.
삼각자 2개를 붙인 모양에서 찾을 수 있는 직각은 3개입니다.
58 교과도형_C1
월 일
모양이 같은 삼각자 여러 개를 붙였습니다. 직각의 개수를 세어 보세요.
4개
4개
3개
9개
8개
12개
도형플러스 59

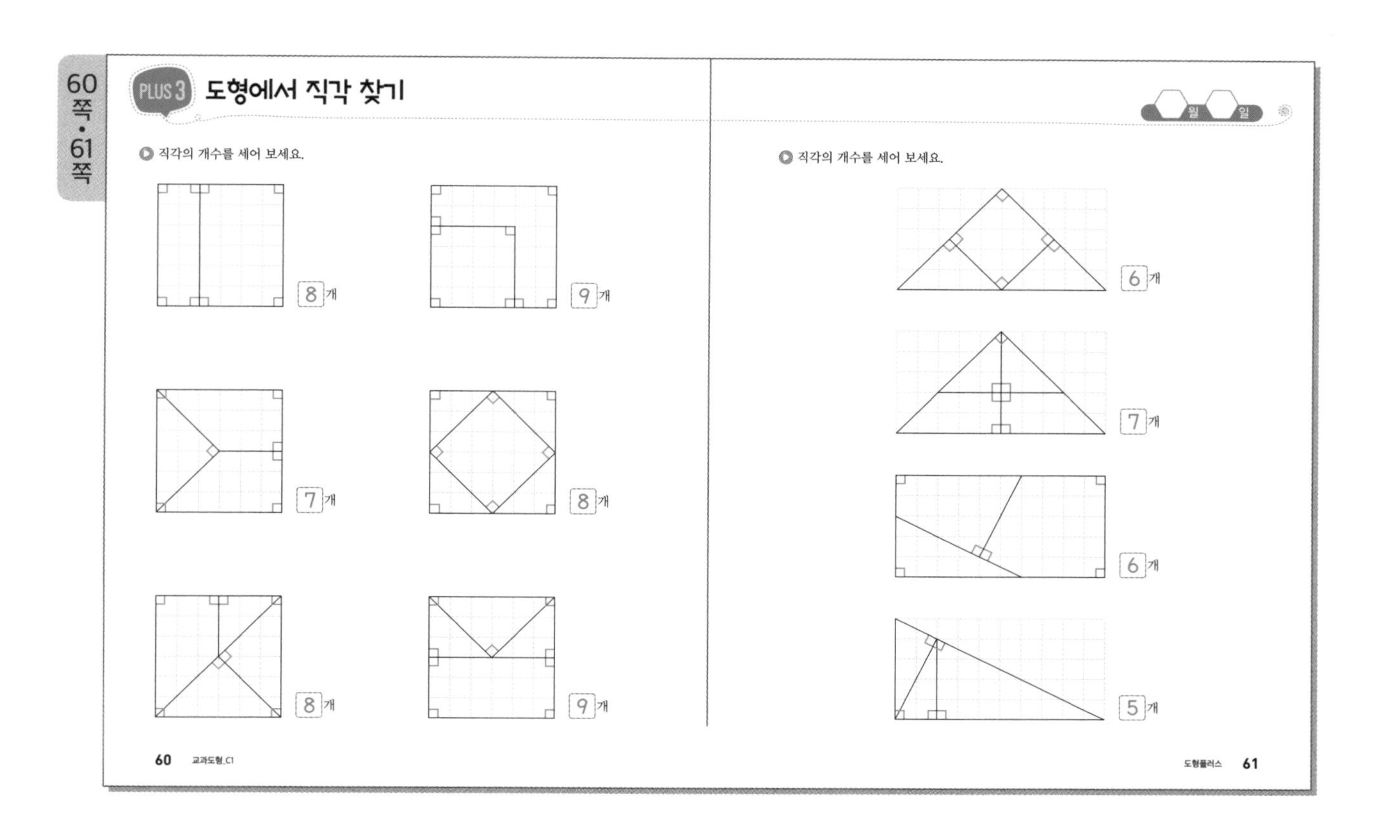
60쪽•61쪽
PLUS 3 도형에서 직각 찾기
월 일
직각의 개수를 세어 보세요.
8개
9개
7개
8개
8개
9개
직각의 개수를 세어 보세요.
6개
7개
6개
5개
60 교과도형_C1
도형플러스 61

64쪽·65쪽

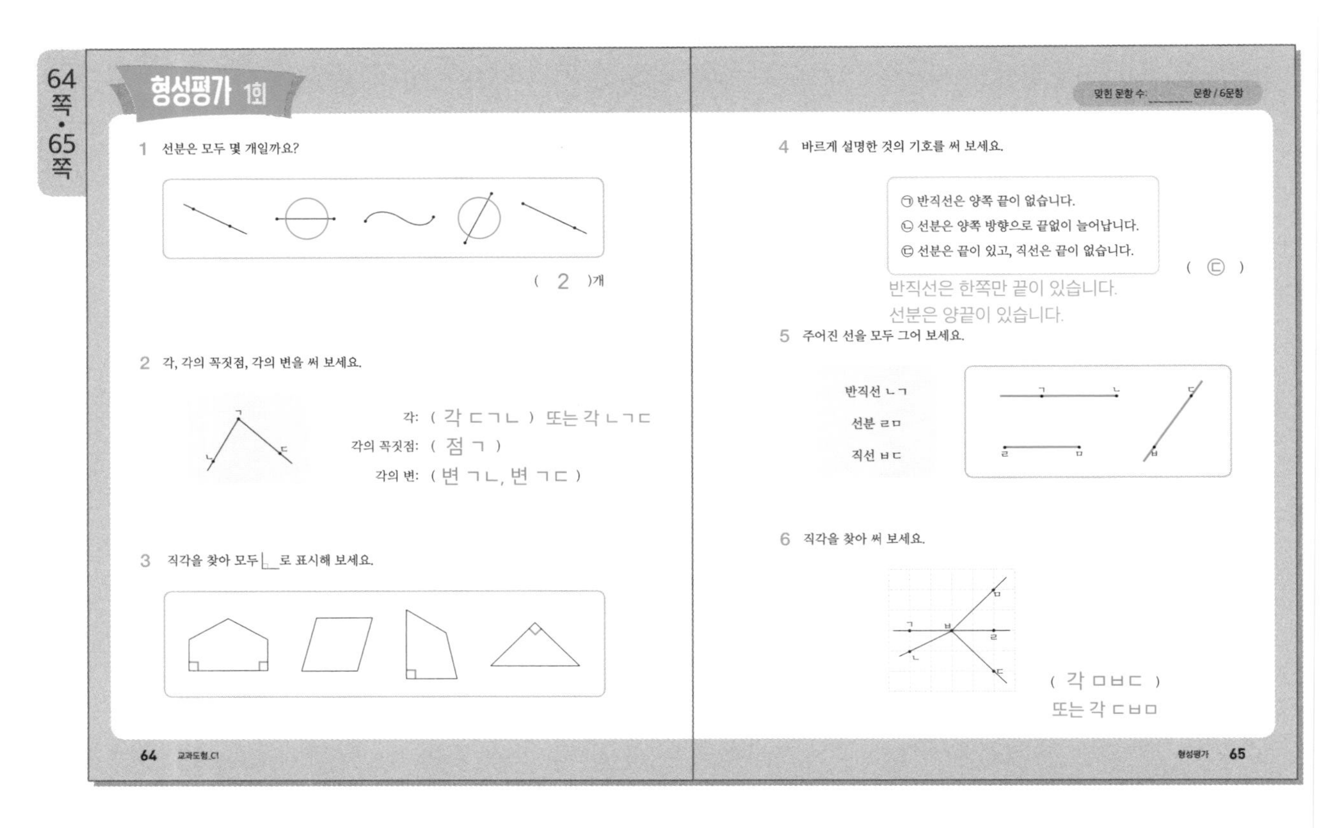

형성평가 1회

맞힌 문항 수: ____ 문항 / 6문항

1 선분은 모두 몇 개일까요?

(2)개

2 각, 각의 꼭짓점, 각의 변을 써 보세요.

각: (각 ㄷㄱㄴ) 또는 각 ㄴㄱㄷ

각의 꼭짓점: (점 ㄱ)

각의 변: (변 ㄱㄴ, 변 ㄱㄷ)

3 직각을 찾아 모두 ∟로 표시해 보세요.

4 바르게 설명한 것의 기호를 써 보세요.

㉠ 반직선은 양쪽 끝이 없습니다.

㉡ 선분은 양쪽 방향으로 끝없이 늘어납니다.

㉢ 선분은 끝이 있고, 직선은 끝이 없습니다.

(㉢)

반직선은 한쪽만 끝이 있습니다.

선분은 양끝이 있습니다.

5 주어진 선을 모두 그어 보세요.

반직선 ㄴㄱ

선분 ㄹㅁ

직선 ㅂㄷ

6 직각을 찾아 써 보세요.

(각 ㅁㅂㄷ)

또는 각 ㄷㅂㅁ

64 교과도형_C1 / 형성평가 65

66쪽·67쪽

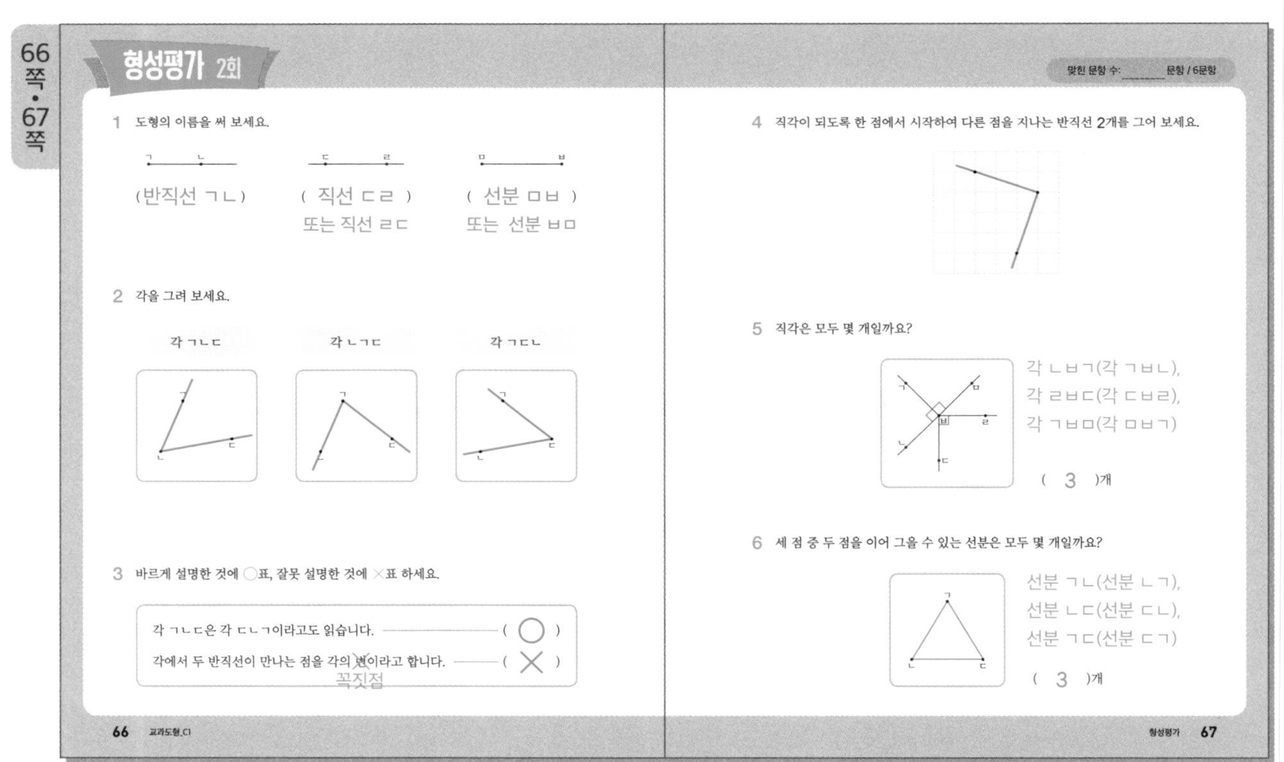

형성평가 2회

맞힌 문항 수: ____ 문항 / 6문항

1 도형의 이름을 써 보세요.

(반직선 ㄱㄴ) (직선 ㄷㄹ) 또는 직선 ㄹㄷ (선분 ㅁㅂ) 또는 선분 ㅂㅁ

2 각을 그려 보세요.

각 ㄱㄴㄷ 각 ㄴㄱㄷ 각 ㄱㄷㄴ

3 바르게 설명한 것에 ○표, 잘못 설명한 것에 ×표 하세요.

각 ㄱㄴㄷ은 각 ㄷㄴㄱ이라고도 읽습니다. (○)

각에서 두 반직선이 만나는 점을 각의 변이라고 합니다. (×) 꼭짓점

4 직각이 되도록 한 점에서 시작하여 다른 점을 지나는 반직선 2개를 그어 보세요.

5 직각은 모두 몇 개일까요?

각 ㄴㅂㄱ(각 ㄱㅂㄴ),

각 ㄹㅂㄷ(각 ㄷㅂㄹ),

각 ㄱㅂㅁ(각 ㅁㅂㄱ)

(3)개

6 세 점 중 두 점을 이어 그을 수 있는 선분은 모두 몇 개일까요?

선분 ㄱㄴ(선분 ㄴㄱ),

선분 ㄴㄷ(선분 ㄷㄴ),

선분 ㄱㄷ(선분 ㄷㄱ)

(3)개

66 교과도형_C1 / 형성평가 67

하루 한 장 60일 집중 완성 교과도형

"한 권이면 충분합니다."

도형을 다양한 문장과 그림,
수식으로 표현합니다.

감각
sense

도형 학습의 바탕이 되는
공간감각을 길러줍니다.

표현
expression

측정
measurement

측정을 더하여
도형 학습을 완성합니다.